sudoku.

FOR A LITTLE INSPIRATION
follow along at:

@JUNEANDLUCY

@JUNEANDLUCY

WWW.JUNELUCY.COM

Love free goodies? Join our newsletter by emailing us at **freebies@junelucy.com** to receive freebies, discounts and sales info. Let us know which book you bought by putting the book title in the subject line of your email.

Shop our other books at
www.junelucy.com

For questions and customer service, email us at
support@junelucy.com

AN INTRODUCTION TO SUDOKU

Give your brain the ultimate workout while simultaneously unwinding with 200 logic-based number puzzles! The puzzles in this book are in order of increasing difficulty, perfect for any skill level. The first 50 puzzles are classified as "Easy," the next 50 puzzles are "Medium," the following 50 are "Hard," and the final 50 puzzles are skill level "Extreme." Play in order to build up your skill or skip around. Find the answer key at the back of this book.

HOW TO PLAY

Each puzzle consists of nine larger squares that each contain nine boxes within them. Some numbers are pre-filled for you. Each larger square needs to contain one of every number from one through nine. No number can be repeated within that larger square; each will appear once and only once. Similarly, every long row of nine smaller squares and every vertical column of nine smaller squares will each contain one of each number, one through nine.

Tips & Tricks

- Use a pencil to allow you to erase mistakes. If you know a small box has to be one of two or three numbers, mark both/all answers as a temporary placeholder. You can go back and erase the wrong number when you have decoded that space.
- Easier puzzles contain more pre-filled numbered squares than more difficult puzzles.
- Use process of elimination. If a vertical column of small squares still needs a number "3" but two of the three larger squares already contain a "3" in them, that means the "3" will have to fall in the column of the third large square.
- Be patient. You should never have to guess to get a correct puzzle, but it may take some time and patience to get to the answer.

		1		3		4		5
4	6	7			9			
	5		9	2	4	6		
9	4			5			3	7
		2	3	7	6		5	
			6			7	2	8
2		8		4		1		

	8		1				3	4
						7		8
	2	5	3	8			6	
		8		9				
		9	6		1	4		
				7		5		
	4			6	5	3	7	
5		7						
1	6				8		2	

		2		5			4	
			6			9	2	
	9	7		4		6	5	
3				7		5	6	
				3				
	1	9		8				2
	6	8		9		4	1	
	4	1			5			
	5			2		7		

					1			7
1	7	4				2		
5		3	4					6
9	1				2			
	8	7				3	1	
			7				8	5
4					3	6		1
		9				5	4	3
2			6					

4		7			1			
2					5	1	6	
	3		4		9	7		
5				8		9		
			5		4			
		6		7				8
		9	2		7		5	
	8	4	3					1
			9			4		6

6

		8	6					4
5	9					7		
6	3		7	4				
	5	3	4		2			
1				5				6
			1		7	3	2	
				1	4		7	2
		2					9	3
7					3	5		

7

				1		8	6	4
6	5		4					9
		4		2		3		
			5		7	6	9	
	4	3	6		8			
		2		5		7		
3					2		4	8
5	7	1		6				

			2				6	5
	5		8					
		4	9		3	2		7
4				6			2	8
9								4
2	8			7				1
5		3	1		4	7		
					2		5	
1	6				5			

		3	2				6	7
			7	1	8		4	3
					4			8
9		1						6
			1		2			
6						2		5
2			3					
3	5		8	4	1			
8	1				5	6		

	6	4		9			7	
	8		1			6	3	
		1		7	6			4
	7			6				
		9				5		
				2			8	
3			5	1		7		
	5	6			8		1	
	4			3		8	2	

8	4				9	3		
		5		8	3		7	2
2		1					6	
			4		1		9	
				2				
	8		6		5			
	6					9		4
5	2		8	4		7		
		3	5				8	6

	2		8			7	3	
1				3		4		9
	5		7		4		6	
5	8							7
				8				
9							2	8
	9		4		8		7	
8		3		7				1
	6	1			3		5	

9			6					
	7		8			5	6	
5		4			7			
7		9	5				3	
	1		4		3		2	
	2				6	7		5
			3			2		9
	8	2			4		1	
					8			4

			6			2		
	6		7			8	5	
1			5		8			
7	4	1					2	6
6				2				4
9	5					7	1	8
			2		5			3
	1	7			6		4	
		5			4			

15

	4				5	7	2	8
					1			
2	3	6	8	7		4		
		8			3	2		
		1	9			6		
		3		5	8	9	7	6
			1					
9	5	2	3				4	

			8		5			4
7				4			9	5
		4		6	3			
	1				7			2
6		2		3		9		1
8			9				6	
			5	2		8		
2	4			7				9
5			1		9			

			7	9	1		3	
					8		7	
7						2	6	1
4			9			6		3
		8		7		4		
9		2			3			7
3	4	6						5
	1		8					
	9		3	6	4			

5	9			4		6		
6			2		5			
2			9			1		
	5	9	7					2
4				8				1
3					1	7	5	
		3			4			9
			1		3			7
		6		5			3	4

8		9	4		2		3	
	7			3	9			
		5					8	4
3			6					
4	2						9	6
					1			3
7	9					5		
			9	8			7	
	8		3		7	1		9

4			9	6				
8				4		9	3	
6			1				7	
	2	1					6	4
	8						5	
7	4					1	2	
	5				9			1
	7	9		8				3
				7	1			5

		2			3	6		8
							1	
	7		5	1	8		2	4
4							8	5
			4		9			
2	1							6
8	6		2	7	4		5	
	9							
5		1	9			4		

	5				1	3		
	1	7					6	
8					3		5	7
			6	5		2	1	4
				3				
5	7	1		2	9			
7	9		2					6
	3					8	2	
		5	3				7	

23

			5			8		
5	1			9		6		
3		6	2	4				
	4			7				
	3	1	9		4	5	6	
				3			1	
				1	6	9		5
		8		5			7	3
		7			2			

	4		3		1		9	
	6	5			8			
					9	4		6
						8	5	2
	9	8		4		1	3	
2	7	3						
6		4	9					
			8			6	1	
	3		2		6		4	

	8					4	6	3
	2		6	8	7			
				5	3			
	4				5	8		
	7		1		6		9	
		5	2				3	
			3	7				
			8	1	9		5	
9	1	2					8	

			3	9				
6		9				4		
5	2	3		1				
	4		5	3			8	6
	9			6			2	
3	5			8	2		4	
				4		6	3	9
		2				8		1
				5	8			

	3			2			9	
	6		9		3		4	
	5				8	7		
	2			4				6
		4	6		5	3		
8				3			5	
		9	1				3	
	7		2		9		1	
	4			6			8	

	6		4			5	7	
		1				4		6
	3	5		9				2
	9	2			5			
		7		3		9		
			8			1	2	
1				6		3	5	
9		8				2		
	5	6			2		8	

		2	4					
6				8	1	9	2	
		3		9			4	1
				5		1		8
	1						3	
3		9		4				
7	4			2		3		
	2	5	3	6				7
					4	8		

	5				2	9		
8			3	4	5		6	
		2						3
				8		7		2
	2	3		5		8	9	
4		9		7				
9						3		
	6		4	3	9			5
		7	5				4	

31

			5			2	1	
2			9					8
		8	1	7	2		9	
	2	9	4					5
				6				
1					8	9	4	
	6		8	1	4	7		
5					7			9
	3	1			5			

2								
		8	9	4		6	1	
6				7			9	
8		7			9		4	2
		4		3		8		
5	1		8			7		9
	6			9				1
	9	2		8	5	4		
								7

4			9				8	
	3					9	4	1
		9	3			5		
9		1	6	4				
	5						6	
				7	9	3		2
		6			2	1		
7	8	4					3	
	1				7			4

1	4				6	8		
	2			1		7		
	3	6	8					
7			6				9	
	1	2				4	6	
	6				1			7
					4	9	3	
		3		8			2	
		8	5				7	1

35

4	6				8			
7				6	9	8		
	9					3		
5		8			6		4	
	3	4				6	8	
	7		3			1		5
		7					2	
		5	2	4				6
			8				7	1

36

			9		3	5	1	4
	9			5				
5					1	3		
			3				8	5
		1	6	8	7	9		
6	3				2			
		9	7					1
				3			9	
8	2	4	1		9			

				4		7	3	
		4	2					
7	8	9	5				2	
	7		8					3
4		5				1		8
3					2		5	
	1				5	8	4	7
					3	6		
	4	2		7				

7	6				9			
3	2	5		6	7			
					2			8
		3	9				8	4
		9				1		
1	5				6	2		
9			3					
			1	7		4	9	6
			6				5	2

39

		4						5
	7	2	9	4	3			
	8			5				3
		6						7
	9	1	8		5	3	2	
2						1		
9				2			1	
			1	8	7	9	3	
7						6		

5	9		1		4			
6			5			3		4
		7					6	5
7	2				5			8
1			6				4	9
2	4					8		
3		9			2			1
			9		1		7	2

9	3	5		8			4	
		8				7		
			3	6	4			5
	5	7		9				
			1		6			
				2		9	1	
8			2	3	5			
		9				1		
	7			1		3	6	8

	1			8				9
9	4		1					
	3			6	9	7		
1	2				6			5
		4		5		2		
3			7				4	1
		9	4	3			6	
					8		2	7
6				2			5	

8				7	4		6	
			8			1	9	
	2	1	5		9			
4							1	
		3	9		5	7		
	1							3
			6		8	3	5	
	6	8			1			
	9		7	3				6

			1				3	5
	6		2		3			
	2			5	9		4	1
		2			8	3		4
5		9	6			7		
4	5		3	2			1	
			4		1		7	
7	8				5			

8				1	6			
		2		3		9		5
		3			5		4	6
9			8		2			
	6						9	
			6		9			7
7	8		9			4		
5		4		8		3		
			5	2				1

		1				4		7
	2			9	5			
5		3	1				2	
2			3			1	4	
		8				3		
	9	4			1			5
	1				4	9		6
			8	2			7	
6		7				2		

47

	5	1	6	9			2	8
		8		3				1
		2						
		9	7	6				5
1								3
7				5	1	2		
						8		
8				1		7		
3	9			8	2	1	6	

				2				4
	3				5			9
		8	9	1	6	3		
	5	9			2			7
2								1
1			3			9	8	
		1	6	9	7	5		
5			2				1	
7				4				

6		7	3					
	1			2			5	4
							2	
7		2		5	3	6		9
			2	6	4			
4		6	7	9		2		1
	7							
5	3			7			9	
					9	4		5

3	5					2		
6		7						
					4	5	7	6
7				3	5			8
		9	8	4	1	6		
1			9	2				3
9	8	5	4					
						1		4
		3					9	5

9	5				6	2		3
		6						
3		1	9		2			5
8			4					9
		2				7		
1					3			8
5			8		4	6		7
						1		
6		3	1				8	4

	2				7			9
	4	8		3			7	
			8	2			3	4
		9		1				
		4	3		8	2		
				6		4		
4	6			8	3			
	3			5		1	4	
9			6				5	

4	3	7						
	8		2	1				7
2			7		3			
3		2	9			7		
		1				5		
		8			4	2		3
			6		2			9
6				9	1		2	
						6	5	1

				7	1		3	
2	8		3			1		
				2				7
	9			6	7		1	5
	4						9	
5	1		9	8			6	
1				3				
		3			5		4	8
	5		6	9				

7	6			3				
			6	1			8	9
			4			2		
		5	1					7
3		7	2		6	4		5
9					4	1		
		4			9			
8	7			6	5			
				4			5	3

6		2		4	7		8	
		5			9	3		
	7			3	2			
	2		6			1		
		1				2		
		6			1		3	
			9	7			4	
		8	4			5		
	1		2	8		7		3

4				3	9	2		
			5		6			7
	6							3
6	4					3		5
	9	1				8	2	
5		3					9	4
9							1	
1			6		5			
		6	4	8				9

		9	1		3	5		
			7	5				9
5			8		9	2	6	
							7	4
9								2
1	2							
	3	5	4		6			1
4				9	8			
		2	3		5	8		

3		2			4			5
					6		8	
	6			3	2			1
	9	7		1			4	6
				9				
1	3			2		7	9	
9			7	6			2	
	8		2					
7			8			3		9

	3	9			1	4		
7			9	4				
4			3					
2	5	1	6				8	
	8						9	
	6				4	2	3	1
					2			8
				9	8			6
		2	4			5	1	

	5					9		
8					2	4	5	
				7	3	8	1	
1	8				7			
6		5		3		7		8
			2				3	1
	4	2	9	5				
	7	6	3					4
		8					2	

								4
5			2		8	9		
	8	4			3			7
	6	9	3	2			5	
	4						6	
	2			6	7	4	3	
9			4			3	7	
		7	1		5			8
4								

63

8	4		7	5		3		
9			3		6		2	
	6							
		5			2			6
2	3						5	1
1			5			7		
							8	
	1		4		5			3
		8		1	9		7	4

	3			1	9	5		
4	7		8		5		3	
						4		
3		9		7			6	
	4						9	
	5			2		8		3
		8						
	2		1		8		5	7
		4	6	5			1	

	1			5	4	7		
	5	7				2		6
	4				2		5	8
				9	6			
			1		8			
			3	2				
1	3		5				9	
6		4				3	7	
		5	6	3			1	

2				3				
9	8		6					4
				1				3
1	5		4	9		3	7	
	7						5	
	2	4		7	1		9	6
7				4				
4					5		1	9
				6				8

			5					2
		3						9
5		1		8	2	6		
	3				8	1		6
	8		1	4	6		3	
7		6	2				4	
		4	6	7		2		1
1						3		
9					1			

8			2	7			5	1
1		7				8	9	
			1				7	
	8		7					6
		5				7		
9					2		3	
	6				3			
	3	9				4		2
4	1			5	6			7

			6		5	4	3	
	3				7	1		6
		4	2					9
		9	1		6			
3				7				4
			5		9	8		
4					1	5		
8		3	7				9	
	9	2	3		8			

	6			7	2			
				6		4		
	2	3	4		5	9		
					9	5		8
	3		5		1		9	
8		9	7					
		4	1		3	2	7	
		1		5				
			8	4			1	

			7	5			4	
4	8					9		
					8		5	
	2	4	9	7			6	
8	7			3			9	4
	1			8	6	3	7	
	6		3					
		1					3	9
	5			2	4			

		7	5	6				
			4		8	1		
	4			3		2		7
			3			5		
6	2		7		5		3	8
		8			4			
3		2		4			1	
		4	8		9			
				5	3	9		

	4			7				
				6	8		5	
8			2			7	1	
		2		4	7		6	8
			9		2			
5	8		3	1		9		
	7	1			9			5
	9		8	2				
				5			3	

	3		7	2	6			
	2		9				3	
			5	8				2
			2	1		5		
1	4						9	8
		6		7	8			
3				5	7			
	8				4		6	
			8	3	2		7	

			5				9	
6					9	5	1	
5		1		4	7	3		6
	1	6						
	5						7	
						4	3	
4		3	9	1		8		7
	8	5	3					2
	2				5			

2				9		6	4	
9		4			6	3	8	
			8	4				
		9			7		2	
			4	5	3			
	7		9			8		
				7	4			
	4	6	5			2		3
	9	7		3				5

4	8		5					
		9			7			
				2	4			3
		8		9			2	6
2		5	4	6	8	3		9
9	6			1		8		
6			8	4				
			9			1		
					1		7	4

						8		7
			4		1	6	2	
				8	7	3	9	1
		7	9					8
5								2
9					3	7		
7	9	4	5	1				
	2	5	8		4			
8		3						

	5	7			3		6	
4							1	5
		9	5			7		8
					2			7
2	7			8			9	1
8			1					
9		8			7	1		
3	6							9
	1		6			4	2	

	4		9			2	8	
							7	
9	2			6	1			
	9			7	3	8		
	3	2				1	5	
		5	2	1			3	
			4	2			1	6
	7							
	1	8			6		9	

			7		5			
	5					3	4	7
			9	3			5	
7	1	6	2			8		
3				1				9
		5			6	2	7	1
	3			7	2			
5	8	9					2	
			5		8			

			4		7		8	
		9			5	3		4
5					1			6
8	3	6				4		
	9						5	
		5				8	2	7
7			3					8
4		8	5			9		
	6		1		8			

		2			9	3	4	
		3		2		5		
9	4		1	3				2
						1		
5			7	4	3			9
		7						
2				7	4		1	8
		4		8		7		
	8	1	2			6		

83

		8			1		6	
	7		5		2	1		
	1				8	5	2	
			1				5	9
			9		6			
8	9				4			
	5	6	7				4	
		7	4		5		9	
	3		8			2		

	6			1			7	2
		3	6		4	9		
7							6	
			8			6	3	9
			9	5	1			
9	8	7			2			
	7							1
		8	1		9	3		
1	9			3			4	

	4		6	7		8		2
				9				4
					2	3		6
6		2			7		4	
	8						1	
	9		5			6		8
3		7	1					
8				4				
2		4		3	9		8	

6	1			3		9		
					8	7	2	1
		7					3	
	6	3		7	2			
			4		6			
			9	5		4	6	
	7					6		
2	4	6	3					
		5		6			1	3

			1		9			
1		7	4			5		
	4		7	2	5			
	5					4	6	1
		2		5		9		
4	6	8					5	
			3	4	7		2	
		1			2	7		4
			8		6			

1	6			2		3		
	7		3		6	2		
						4		8
3			2					7
	4	1				6	9	
2					4			3
4		7						
		8	4		9		5	
		3		7			2	4

		9	7			8	6	
	5			8	3	1		9
			9	2				5
	2				7			3
7			6				5	
4				5	9			
3		6	1	7			4	
	7	1			4	9		

4		6		9			8	
3					5			
7					6	3		
	6			5	1	7	2	
			6		7			
	4	7	2	3			9	
		2	5					8
			8					2
	3			2		6		1

		2	9					
1	5	6		3				9
	9	4			7		3	
	7		2					
	4	3				8	5	
					5		1	
	1		7			9	2	
9				8		5	6	3
					2	7		

			4				8	7
			2		8		6	
6		1		9	5	4		
						8		
8	4	9				3	7	1
		5						
		6	3	8		5		9
	3		9		1			
4	9				2			

2	5					6		
6			9		8			
		9	2				8	5
	9		6		2	7		4
1		6	4		3		5	
9	2				6	3		
			1		4			9
		5					6	7

		6			3	2		
9	5				1			
3		7					1	8
		4	6					
6	3	9				7	4	2
					9	3		
8	9					4		1
			4				9	7
		5	1			8		

	7			8		1		2
	3				2	8		
			5				7	
				6		2	1	3
4		2				5		8
8	6	3		5				
	5				9			
		8	3				2	
9		1		4			3	

		4		7	1		6	5
	7		5		6			3
		6		3				8
						8		
	8		6	4	9		1	
		3						
5				6		7		
7			1		3		5	
6	3		7	5		4		

		8		1				5
3					4	8		
		2			8		4	6
9					6	1		
7			8	3	1			2
		3	7					4
5	2		4			7		
		9	1					3
6				8		5		

	3	9			1		6	
	8	4	6				2	
	5			4	2			
					8			3
3	2			6			4	9
9			7					
			2	1			9	
	1				9	2	8	
	9		3			5	1	

100

2			5			9		1
	4			8				
9		5	7				4	6
6				1	7			
	3						2	
			2	4				9
5	6				2	8		3
				5			7	
1		4			8			5

1	9		7		6			
				9				7
	4		3		8			9
	6				7		8	
	1	3		8		5	2	
	8		6				9	
9			8		1		7	
6				7				
			2		5		4	3

	9		4	2	3			
								6
5		1		6	8			9
	1	7				5		
	5		2		1		6	
		4				1	9	
4			5	1		7		3
1								
			3	4	9		5	

7			4				6	
				8	5		1	
			9			7		5
4				5	9	8		
9		5				2		6
		1	6	7				4
5		9			4			
	4		8	9				
	3				1			7

					5		7	
4		7		1	9			
	1	5	7					
7	9				8	4	3	
6								2
	5	3	4				9	6
					7	3	4	
			2	3		9		5
	3		1					

			7		5			4
1	3	7						
			8	3		6		
9		4	3			7		
	6	5		1		4	3	
		1			8	9		5
		9		6	3			
						2	5	6
2			5		4			

		6	2			9		7
	4			6			5	
	5		9				6	8
6			4	8				
		3		1		6		
				9	3			5
9	3				6		7	
	6			5			3	
5		7			9	2		

		1			4	2		
7			2	8	6			1
		2						7
	1							2
2		3	9	1	7	6		4
4							1	
3						4		
8			6	4	2			3
		6	3			5		

	9	2	5	7		1		4
			6	4			9	
		1		9				
9	6							
2		3				7		9
							5	3
				1		5		
	4			5	6			
3		6		2	7	4	1	

					2			
1	8		4	9		6		3
4	6			8				
8			3				6	1
9								5
2	1				6			8
				3			4	7
5		3		7	9		8	6
			8					

		1					4	
3	6		7				9	5
			3			1	7	
6	9				2	3	8	
				3				
	2	3	9				5	4
	4	7			6			
9	5				3		6	7
	3					9		

	2		9			8		5
	4			5		6	9	
			3				7	1
			4					6
6		4		9		7		8
3					6			
2	3				9			
	6	1		7			2	
8		9			3		6	

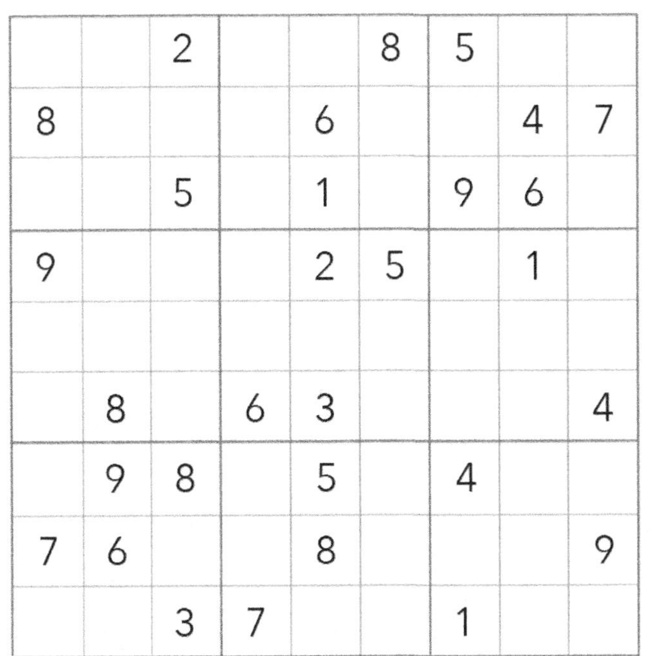

		2			8	5		
8				6			4	7
		5		1		9	6	
9				2	5		1	
	8		6	3				4
	9	8		5		4		
7	6			8				9
		3	7			1		

9			4		1			8
	1			6	7	3	9	
4			3					
6	8					1		
	2			8			3	
		4					8	7
					8			3
	4	9	6	7			5	
7			1		5			6

				5		2		
9	3		4	2	6		5	
4		5	3					
	7			9			1	2
6	1			7			9	
					5	3		1
	9		2	1	3		4	6
		3		4				

	2	8		7	1	5		
							9	
		4		6		7		2
		7			8		3	
		5	9		3	4		
	9		7			2		
1		2		9		3		
	5							
		3	2	1		6	5	

1			4			7		
		7		2		1	3	
6	3				1			4
		1				9		
7	6			5			1	8
		9				6		
2			8				6	9
	5	6		7		3		
		8			9			7

	6							
5			1	9			6	
		3			6		5	
	5	6	4	7				9
	4	8				7	3	
9				3	5	4	8	
	2		5			8		
	1			2	3			7
							4	

3			1	7			8	
6								
		1	3	9		5		
7	4		6	3				
5		9				6		7
				2	7		5	3
		5		1	3	7		
								4
	1			6	2			5

	4			6		7		
		6	7	2		1	8	
					3	5		9
6						3	9	7
4	3	1						5
8		2	6					
	6	3		1	2	4		
		4		8			5	

6	5	8	7	4		3		
	7		1	8	3			
						4		
			8			6		
7			4		1			8
		1			5			
		7						
			9	5	7		3	
		3		2	8	5	7	9

	9					8	3	
8				5	3		6	
				1				7
	2	5			7			3
	4	9		3		7	1	
7			1			6	5	
3				2				
	6		3	7				4
	7	8					2	

5		7					2	
	4	3		5				7
	2							5
7	9			3	4			
4			2	7	1			9
			5	9			3	4
3							6	
6				2		1	7	
	1					9		8

123

						8		2
			2	7				1
		2		5	9	6		3
6							2	
4		3	9		7	1		6
	5							4
3		5	7	1		4		
8				4	3			
2		4						

	1	3			7			4
7			6				8	
6		9		3		2	1	
1		8					4	
	4					8		6
	5	6		4		9		1
	3				9			8
9			5			4	2	

	8	7		1	5			3
	9				3		6	
1			9					5
	5			9			7	6
8	4			5			2	
6					2			9
	7		4				1	
9			5	6		3	8	

4	1	7			5			
9					4	7	8	
6			9			3		
		4		7		5	1	
	7	1		2		4		
		9			2			8
	6	2	3					4
			4			2	7	3

	3				1			6
4		7			9		8	
				7		5		4
8					3	1		
3			1	6	2			5
		1	9					2
2		4		1				
	1		4			2		7
6			2				1	

	3		5					
		8	4	1			6	
6	1		7	2			5	
		2	6			4	1	
				4				
	6	5			2	3		
	2			6	1		4	8
	8			5	4	1		
					7		2	

			1					
7					8		5	2
8	5	6			3			4
	3				7		6	
1			9		2			3
	8		3				2	
4			6			2	8	5
3	9		8					1
					1			

	4	7	6	1		5		
				5	2		7	
	5	1	7					
3		4		6				
	9						8	
				3		4		9
					6	8	5	
	8		3	4				
		5		9	7	6	3	

5			6			9		
	6				5	2	8	
			9				5	4
		1	7	3				6
	3						9	
7				9	6	3		
3	2				9			
	5	6	1				2	
		9			2			5

		3		5	7	2		
		1		4	2	6		
	2	7	8				4	
				7				
7			6		9			4
				1				
	5				8	7	1	
		6	1	9		3		
		8	7	3		4		

			3	7				6
		8					7	2
	6			5		8		
8					6	4		
	1	6	5	8	4	2	3	
		3	2					8
		7		4			2	
2	8					3		
6				2	9			

	6		4	9		8		
	2	8				4	6	
9	5			2			1	
			6	8	4			
			2	5	3			
	1			4			7	8
	3	5				1	2	
		2		6	5		4	

	5		2	6				1
				1		7		2
2							4	
8	2	9				4	5	
5								9
	4	3				8	1	7
	3							8
4		5		9				
9				3	2		6	

7							2	
			2	1	5	9		
	9			8			6	4
	4			3	9			8
		9				7		
8			5	7			9	
5	7			2			3	
		1	3	4	8			
	2							6

8		7			5			9
	4		3					5
5	1		9	2				
			1	4		6		
		9		8		2		
		4		3	2			
				5	1		6	7
2					3		1	
7			6			8		2

	9			4	6			
8		4			3			
	3		8			5		
	2	5				4		
6	4	9				7	1	8
		3				6	5	
		1			8		7	
			3			1		4
			9	6			2	

	2	8	9	7		6		3
	6	5		3		9		
7			5					
5	9					3		
				8				
		6					9	2
					3			7
		3		4		2	8	
2		7		9	5	1	3	

		5					6	7
2	8	3				9		
					4			
			5	8	1	6	7	4
			2		7			
7	5	6	9	4	3			
			1					
		8				7	9	5
4	2					1		

3					8		5	
	6	2	9	3				7
		8			7			
2	5				6	8		
7								1
		6	4				9	5
			8			3		
9				7	4	5	1	
	4		5					2

	7			4	1		6	
1			8		3			
				7		5		1
	5	2					7	
6		1				4		2
	9					6	8	
5		9		2				
			3		8			4
	6		1	9			2	

143

	9							7
2				3		8	6	
			5			1	2	
	6	5	4		8			
	2		7		5		1	
			3		1	5	9	
	3	1			6			
	7	2		5				1
9							8	

6				8			4	
4	7	9						1
	5		1	4				
				1	6	3		2
7								9
2		3	4	5				
				9	4		1	
1						2	9	5
	3			7				4

	1	2	7		6	9		
				8	2			
9				4				
3	4		1			8		2
		9		3		5		
7		1			8		3	9
				9				7
			8	1				
		8	2		5	3	9	

6							8	
	9		3		2			
	7	2	5		6		4	1
1			7				6	
	4						2	
	2				8			3
9	8		2		3	1	7	
			4		1		3	
	1							5

							6	
	5	8				1	2	4
6		1	4		5	3		
		4		1	8			2
				2				
8			5	7		4		
		5	7		3	2		8
7	3	9				5	1	
	8							

		3			5	2	6	9
4	7	9	2				8	3
							4	
	2				3			8
				4				
7			1				5	
	9							
3	4				9	8	7	5
6	8	7	3			4		

3				2	7	8		9
6		4		5				
	2	9						
				9			1	6
		6	1		8	2		
7	9			4				
						3	8	
				1		9		2
9		7	3	8				1

	8	6		2	7			9
5	7			9	8			
2			4				8	
		7				8		
			9		3			
		5				1		
	2				9			3
			8	3			1	7
7			6	1		9	4	

3					9	2		
		5	8	2				
		8		6		9		3
5					4	3		7
	8						2	
7		6	9					4
8		7		4		6		
				9	6	7		
		9	2					5

8					5		7	
3					2			
	7	4	1		6	5		
	9		3			2	4	
7								9
	8	2			7		3	
		8	6		3	7	2	
			5					4
	2		8					6

	6					5		7
			5	2			4	
	4	3		1				
9			6		1			8
	7		9		5		1	
3			2		8			4
				5		8	6	
	8			9	2			
4		5					3	

	3		5	8			9	
4	8		9			7		
					4			8
		3				5		7
		8	1	5	7	3		
7		5				6		
2			8					
		4			5		6	2
	5			4	1		7	

4	6	7				2		
	5				6			1
3			7	2		4		8
				3	9			
		5				8		
			2	5				
7		6		8	4			2
5			9				8	
		2				5	9	6

				7				1
		5			1	7	4	3
2			8			6	9	5
		2					7	
			6		5			
	9					3		
8	5	3			6			7
6	7	9	1			4		
1				8				

	6		7		2		9	
				8		2		
8			6	5				
2					8		7	
	8	4	9		1	6	5	
	9		4					8
				7	4			6
		8		1				
	7		8		6		3	

	1					9		4
2			9			7	8	
6	7	9			3			
4				9		5		
			2		4			
		1		7				2
			8			3	4	5
	2	4			6			7
1		5					2	

5					9			
9		7	2	3		1		6
	8				7			3
8				1	4			
	3			8			6	
			9	2				8
3			8				7	
6		5		7	2	8		1
			5					2

					8	3		
1		3		9			6	
	4		6			1		
	1			2				3
	6	8	9		1	4	2	
4				8			9	
		1			7		5	
	7			6		2		8
		9	8					

5						3		
3	9	1		7				
6		8		3				1
			3			6	9	8
	3						5	
9	8	5			4			
8				9		5		3
				1		2	4	9
		9						6

	4	1			6			8
5					1		2	
		2		7				
4		5	3			9		
	3	7		9		1	5	
		9			4	2		3
				8		7		
	7		4					9
9			7			4	6	

	5				9		3	
	8	3	5		1			
4		1	6	3				
	2				6			
7		5				2		9
			7				1	
				6	4	5		3
			2		3	8	9	
	3		1				6	

				7				
	5				3			4
6		4	8					
1	7	3		8	2	9		
5			4		9			7
		9	3	5		8	2	1
					8	7		2
8			7				5	
				4				

		5	7	6				1
		2			1			
6	9			3		2		
5			6			9	2	4
1	2	9			7			3
		8		7			6	2
			3			8		
2				8	6	1		

	9		1					
2			8		5	1	3	
	8			2				6
		2			9		1	
	1	3				8	4	
	7		5			3		
4				5			7	
	5	9	2		7			3
					6		5	

		3				6		
9			8		1	4		
2				6		7	8	
8		5		9				
		9	3		6	8		
				2		9		1
	7	2		3				8
		8	4		2			7
		1				3		

			1	5			8	
		6		8	4		1	
	1	9	3			4		5
		4						2
	6			3			7	
7						3		
6		3			8	1	9	
	9		6	1		2		
	7			4	3			

9			6					
7		2			8	5	6	
	6			5		7		1
	8	9	7	2				
				3				
				8	9	2	3	
6		3		9			5	
	9	7	4			3		8
					5			6

4		7		3			8	6
9	6	1						
			6			9		
		6	9		5	4	1	
				4				
	4	2	7		8	5		
		4			7			
						2	3	1
8	1			9		6		7

		5	4					
7					2			4
9		4	5	6	7			
				4		3		
	1	7	9		6	2	8	
		2		5				
			8	2	5	4		6
5			6					1
					4	5		

7				8			5	
	5		2		4			7
2						8		
	1		9		5	7		8
		3				1		
8		7	1		2		3	
		2						9
3			4		9		7	
	7			1				3

3	5			1				
	6	9			4			
7					6		8	
9	8			3				1
		4	8	6	9	2		
6				7			4	9
	3		5					8
			6			3	1	
				4			6	2

		7			1			5
		5	4			3	7	1
						4	8	
			7	9		8		2
	9						3	
2		3		8	5			
	8	4						
7	5	2			4	6		
1			2			7		

					9			5
			2					8
	6		1		3	2		
9	7		5	2				
1	4		3		8		7	2
				1	7		8	4
		1	8		5		3	
4					2			
3			7					

3		4					7	
		8	1				4	
9	7				2	8		3
		6		4	5			
			2		7			
			9	1		3		
2		7	8				3	9
	4				9	7		
	9					6		1

	5		9					
3	7			6				4
6		9	7		1			
			1	8			4	3
	1						2	
7	3			2	9			
			3		6	2		5
2				1			3	7
					2		9	

	2		6	7		3		
6					3			
9		3		8		1		6
3		9				7		
			1	5	9			
		5				9		2
1		7		2		5		9
			5					1
		4		1	6		7	

					6		8	9
			1	9	8	3	5	
9			5					2
		4		6				
7	3			8			9	4
				5		8		
4					3			6
	1	6	9	4	2			
3	2		6					

						6	4	
3	9				4	2	8	
				3			7	9
					7		1	8
		2	9		8	7		
7	4		6					
9	8			7				
	7	3	1				9	5
	1	4						

	2				3	9		
	8			6			3	
			8				6	4
			1		8	3		
	6	7	5		2	4	1	
		4	7		6			
6	4				1			
	9			5			4	
		3	6				5	

3	9						5	
	2	1						
	4	7	9	8			1	
	3		2	1				6
			7		6			
4				3	8		9	
	8			9	7	2	3	
						8	6	
	5						7	1

					9	2	7	5
3		5		2				1
	2		1					
	6	2		4				7
		3				5		
5				6		8	9	
					3		4	
6				8		7		3
7	3	8	6					

	5			3	4			
		7		6				4
		8	7	9				
2	8						4	3
1		4				7		6
7	9						8	5
				8	5	3		
5				2		6		
			9	1			5	

8							7	
		1	7	9	2			
			1		6	5		
1	9					2	4	
7			2		1			9
	8	2					3	1
		8	6		3			
			5	2	9	3		
	2							6

			9			1	2	8
	9				4			
		3		1	6	4		
	5	8			1	6	7	
	3	7	4			5	1	
		2	6	9		3		
			1				8	
5	1	9			3			

5			7	1			3	9
	7			8				
3		1				5		
6		8				1		
		3	4		9	8		
		5				9		6
		2				6		4
				9			1	
4	5			2	1			8

3		4						
	2		1		3			
	7					8		3
	8		3		5		9	
	3	9	2		7	5	6	
	5		9		6		8	
2		7					3	
			6		9		2	
						6		1

3					9			
	5				8		9	6
	8	9	7	4			3	
	4		8					
5		7		1		8		9
					2		7	
	9			8	3	1	5	
8	7		4				6	
			5					8

	4	7		8			3	
						5		
2			3		4		8	
4				9		8		
	2	8	1		5	6	9	
		6		2				1
	6		9		7			8
		1						
	3			5		9	6	

	5				1	9		
2		7			9			
9		6			8		5	
		5		9	2		6	
			4		6			
	2		7	1		8		
	4		9			5		6
			1			3		9
		8	6				7	

3				6		5		
6	1	9	5					
	8		9		3			
4	3			7	8			
	2						3	
			2	3			8	5
			3		9		5	
					4	9	1	3
		3		8				4

7		3	4	9	2			
8				6		2		
	4	5			8	3		
9						1		
	7						5	
		6						4
		7	5			4	8	
		8		1				5
			8	3	6	7		1

		6	2	7				
1		7		3		5		
	9				8		4	
		9		4				3
7		1				8		4
4				1		6		
	7		3				8	
		5		8		9		2
				2	6	4		

6	4	9	1		5			
				2		9		
2				4	9	6	5	
4					7			
	1			6			8	
			2					3
	9	2	7	3				6
		4		5				
			4		6	5	2	9

4			5			3	1	
				1		5		
2		1			3	8		6
			8	9	2		5	
				5				
	2		4	3	6			
3		6	2			1		5
		7		8				
	9	2			5			7

				9	2			3
5			7				1	8
		2		8				4
	6	4	2					5
1								9
7					1	4	6	
8				2		5		
2	5				6			7
6			3	5				

	2			8		6		
7					9	8		
		9		7				1
6		8	3					
5	1	3				4	7	6
					6	5		3
2				3		9		
		7	8					5
		6		9			4	

	8							9
			9	5		3	2	
		3	2			6		
4		2	8		9	7		5
6		8	1		5	4		3
		6			1	2		
	2	1		4	7			
5							3	

200

1								
	5				7		6	1
6			8	1			3	
5	1	7			2		4	8
				5				
9	2		4			7	1	5
	3			8	5			6
8	9		6				7	
								3

SOLUTIONS

1.

8	9	1	2	3	7	4	6	5
4	6	7	5	8	9	3	1	2
3	2	5	4	6	1	8	7	9
7	5	3	9	2	4	6	8	1
9	4	6	1	5	8	2	3	7
1	8	2	3	7	6	9	5	4
6	7	9	8	1	2	5	4	3
5	1	4	6	9	3	7	2	8
2	3	8	7	4	5	1	9	6

2.

7	8	6	1	5	9	2	3	4
9	3	1	4	2	6	7	5	8
4	2	5	3	8	7	1	6	9
3	7	8	5	9	4	6	1	2
2	5	9	6	3	1	4	8	7
6	1	4	8	7	2	5	9	3
8	4	2	9	6	5	3	7	1
5	9	7	2	1	3	8	4	6
1	6	3	7	4	8	9	2	5

3.

6	3	2	7	5	9	8	4	1
4	8	5	6	1	3	9	2	7
1	9	7	2	4	8	6	5	3
3	2	4	9	7	1	5	6	8
8	7	6	5	3	2	1	9	4
5	1	9	4	8	6	3	7	2
2	6	8	3	9	7	4	1	5
7	4	1	8	6	5	2	3	9
9	5	3	1	2	4	7	8	6

4.

8	9	6	2	5	1	4	3	7
1	7	4	3	6	9	2	5	8
5	2	3	4	8	7	1	9	6
9	1	5	8	3	2	7	6	4
6	8	7	5	9	4	3	1	2
3	4	2	7	1	6	9	8	5
4	5	8	9	7	3	6	2	1
7	6	9	1	2	8	5	4	3
2	3	1	6	4	5	8	7	9

5.

4	5	7	8	6	1	3	2	9
2	9	8	7	3	5	1	6	4
6	3	1	4	2	9	7	8	5
5	1	2	6	8	3	9	4	7
8	7	3	5	9	4	6	1	2
9	4	6	1	7	2	5	3	8
1	6	9	2	4	7	8	5	3
7	8	4	3	5	6	2	9	1
3	2	5	9	1	8	4	7	6

6.

2	7	8	6	9	5	1	3	4
5	9	4	2	3	1	7	6	8
6	3	1	7	4	8	2	5	9
8	5	3	4	6	2	9	1	7
1	2	7	3	5	9	4	8	6
9	4	6	1	8	7	3	2	5
3	8	5	9	1	4	6	7	2
4	1	2	5	7	6	8	9	3
7	6	9	8	2	3	5	4	1

7.

2	3	9	7	1	5	8	6	4
6	5	7	4	8	3	1	2	9
8	1	4	9	2	6	3	7	5
1	2	8	5	4	7	6	9	3
9	6	5	2	3	1	4	8	7
7	4	3	6	9	8	2	5	1
4	8	2	3	5	9	7	1	6
3	9	6	1	7	2	5	4	8
5	7	1	8	6	4	9	3	2

8.

3	9	8	2	1	7	4	6	5
7	5	2	8	4	6	3	1	9
6	1	4	9	5	3	2	8	7
4	7	5	3	6	1	9	2	8
9	3	1	5	2	8	6	7	4
2	8	6	4	7	9	5	3	1
5	2	3	1	8	4	7	9	6
8	4	7	6	9	2	1	5	3
1	6	9	7	3	5	8	4	2

9.

4	8	3	2	5	9	1	6	7
5	6	2	7	1	8	9	4	3
1	7	9	6	3	4	5	2	8
9	2	1	5	8	3	4	7	6
7	4	5	1	6	2	3	8	9
6	3	8	4	9	7	2	1	5
2	9	4	3	7	6	8	5	1
3	5	6	8	4	1	7	9	2
8	1	7	9	2	5	6	3	4

10.

5	6	4	2	9	3	1	7	8
7	8	2	1	5	4	6	3	9
9	3	1	8	7	6	2	5	4
8	7	5	4	6	1	3	9	2
4	2	9	3	8	7	5	6	1
6	1	3	9	2	5	4	8	7
3	9	8	5	1	2	7	4	6
2	5	6	7	4	8	9	1	3
1	4	7	6	3	9	8	2	5

11.

8	4	7	2	6	9	3	1	5
6	9	5	1	8	3	4	7	2
2	3	1	7	5	4	8	6	9
3	5	2	4	7	1	6	9	8
1	7	6	9	2	8	5	4	3
9	8	4	6	3	5	1	2	7
7	6	8	3	1	2	9	5	4
5	2	9	8	4	6	7	3	1
4	1	3	5	9	7	2	8	6

12.

4	2	9	8	6	1	7	3	5
1	7	6	5	3	2	4	8	9
3	5	8	7	9	4	1	6	2
5	8	2	3	4	6	9	1	7
6	1	7	2	8	9	5	4	3
9	3	4	1	5	7	6	2	8
2	9	5	4	1	8	3	7	6
8	4	3	6	7	5	2	9	1
7	6	1	9	2	3	8	5	4

SOLUTIONS

13.

9	3	8	6	1	5	4	7	2
2	7	1	8	4	9	5	6	3
5	6	4	2	3	7	8	9	1
7	4	9	5	8	2	1	3	6
6	1	5	4	7	3	9	2	8
8	2	3	1	9	6	7	4	5
4	5	7	3	6	1	2	8	9
3	8	2	9	5	4	6	1	7
1	9	6	7	2	8	3	5	4

14.

5	7	8	6	4	1	2	3	9
3	6	4	7	9	2	8	5	1
1	2	9	5	3	8	4	6	7
7	4	1	8	5	9	3	2	6
6	8	3	1	2	7	5	9	4
9	5	2	4	6	3	7	1	8
4	9	6	2	7	5	1	8	3
2	1	7	3	8	6	9	4	5
8	3	5	9	1	4	6	7	2

15.

1	4	9	6	3	5	7	2	8
7	8	5	4	2	1	3	6	9
2	3	6	8	7	9	4	1	5
6	9	8	7	1	3	2	5	4
3	2	4	5	8	6	1	9	7
5	7	1	9	4	2	6	8	3
4	1	3	2	5	8	9	7	6
8	6	7	1	9	4	5	3	2
9	5	2	3	6	7	8	4	1

16.

1	2	6	8	9	5	7	3	4
7	8	3	2	4	1	6	9	5
9	5	4	7	6	3	1	2	8
4	1	9	6	5	7	3	8	2
6	7	2	4	3	8	9	5	1
8	3	5	9	1	2	4	6	7
3	9	1	5	2	4	8	7	6
2	4	8	3	7	6	5	1	9
5	6	7	1	8	9	2	4	3

17.

6	2	4	7	9	1	5	3	8
1	5	3	6	2	8	9	7	4
7	8	9	4	3	5	2	6	1
4	7	1	9	8	2	6	5	3
5	3	8	1	7	6	4	2	9
9	6	2	5	4	3	1	8	7
3	4	6	2	1	7	8	9	5
2	1	7	8	5	9	3	4	6
8	9	5	3	6	4	7	1	2

18.

5	9	1	3	4	7	6	2	8
6	7	8	2	1	5	9	4	3
2	3	4	9	6	8	1	7	5
1	5	9	7	3	6	4	8	2
4	6	7	5	8	2	3	9	1
3	8	2	4	9	1	7	5	6
8	2	3	6	7	4	5	1	9
9	4	5	1	2	3	8	6	7
7	1	6	8	5	9	2	3	4

19.

8	1	9	4	5	2	6	3	7
6	7	4	8	3	9	2	1	5
2	3	5	7	1	6	9	8	4
3	5	7	6	9	8	4	2	1
4	2	1	5	7	3	8	9	6
9	6	8	2	4	1	7	5	3
7	9	3	1	2	4	5	6	8
1	4	6	9	8	5	3	7	2
5	8	2	3	6	7	1	4	9

20.

4	3	7	9	6	8	5	1	2
8	1	2	7	4	5	9	3	6
6	9	5	1	2	3	4	7	8
5	2	1	3	9	7	8	6	4
9	8	6	2	1	4	3	5	7
7	4	3	8	5	6	1	2	9
2	5	4	6	3	9	7	8	1
1	7	9	5	8	2	6	4	3
3	6	8	4	7	1	2	9	5

21.

1	5	2	7	4	3	6	9	8
3	4	8	6	9	2	5	1	7
9	7	6	5	1	8	3	2	4
4	3	9	1	6	7	2	8	5
6	8	5	4	2	9	7	3	1
2	1	7	8	3	5	9	4	6
8	6	3	2	7	4	1	5	9
7	9	4	3	5	1	8	6	2
5	2	1	9	8	6	4	7	3

22.

6	5	9	8	7	1	3	4	2
3	1	7	5	4	2	9	6	8
8	4	2	9	6	3	1	5	7
9	8	3	6	5	7	2	1	4
2	6	4	1	3	8	7	9	5
5	7	1	4	2	9	6	8	3
7	9	8	2	1	4	5	3	6
4	3	6	7	9	5	8	2	1
1	2	5	3	8	6	4	7	9

23.

7	9	4	5	6	3	8	2	1
5	1	2	8	9	7	6	3	4
3	8	6	2	4	1	7	5	9
6	4	5	1	7	8	3	9	2
8	3	1	9	2	4	5	6	7
2	7	9	6	3	5	4	1	8
4	2	3	7	1	6	9	8	5
1	6	8	4	5	9	2	7	3
9	5	7	3	8	2	1	4	6

24.

8	4	7	3	6	1	2	9	5
9	6	5	4	2	8	3	7	1
3	2	1	5	7	9	4	8	6
4	1	6	7	9	3	8	5	2
5	9	8	6	4	2	1	3	7
2	7	3	1	8	5	9	6	4
6	8	4	9	1	7	5	2	3
7	5	2	8	3	4	6	1	9
1	3	9	2	5	6	7	4	8

SOLUTIONS

25.

5	8	7	9	2	1	4	6	3
4	2	3	6	8	7	9	1	5
1	6	9	4	5	3	2	7	8
3	4	1	7	9	5	8	2	6
2	7	8	1	3	6	5	9	4
6	9	5	2	4	8	7	3	1
8	5	6	3	7	2	1	4	9
7	3	4	8	1	9	6	5	2
9	1	2	5	6	4	3	8	7

26.

8	1	4	3	9	7	5	6	2
6	7	9	8	2	5	4	1	3
5	2	3	4	1	6	7	9	8
2	4	7	5	3	9	1	8	6
1	9	8	7	6	4	3	2	5
3	5	6	1	8	2	9	4	7
7	8	5	2	4	1	6	3	9
4	6	2	9	7	3	8	5	1
9	3	1	6	5	8	2	7	4

27.

4	3	7	5	2	6	8	9	1
1	6	8	9	7	3	5	4	2
9	5	2	4	1	8	7	6	3
3	2	5	8	4	1	9	7	6
7	1	4	6	9	5	3	2	8
8	9	6	7	3	2	1	5	4
2	8	9	1	5	4	6	3	7
6	7	3	2	8	9	4	1	5
5	4	1	3	6	7	2	8	9

28.

2	6	9	4	8	1	5	7	3
7	8	1	5	2	3	4	9	6
4	3	5	6	9	7	8	1	2
8	9	2	1	4	5	6	3	7
5	1	7	2	3	6	9	4	8
6	4	3	8	7	9	1	2	5
1	2	4	7	6	8	3	5	9
9	7	8	3	5	4	2	6	1
3	5	6	9	1	2	7	8	4

29.

1	9	2	4	3	7	6	8	5
6	7	4	5	8	1	9	2	3
5	8	3	6	9	2	7	4	1
4	6	7	2	5	3	1	9	8
2	1	8	9	7	6	5	3	4
3	5	9	1	4	8	2	7	6
7	4	1	8	2	5	3	6	9
8	2	5	3	6	9	4	1	7
9	3	6	7	1	4	8	5	2

30.

3	5	4	7	6	2	9	8	1
8	9	1	3	4	5	2	6	7
6	7	2	8	9	1	4	5	3
5	1	6	9	8	4	7	3	2
7	2	3	1	5	6	8	9	4
4	8	9	2	7	3	5	1	6
9	4	5	6	1	7	3	2	8
2	6	8	4	3	9	1	7	5
1	3	7	5	2	8	6	4	9

31.

4	9	6	5	8	3	2	1	7
2	1	7	9	4	6	5	3	8
3	5	8	1	7	2	6	9	4
6	2	9	4	3	1	8	7	5
8	4	5	7	6	9	3	2	1
1	7	3	2	5	8	9	4	6
9	6	2	8	1	4	7	5	3
5	8	4	3	2	7	1	6	9
7	3	1	6	9	5	4	8	2

32.

2	4	9	5	1	6	3	7	8
3	7	8	9	4	2	6	1	5
6	5	1	3	7	8	2	9	4
8	3	7	6	5	9	1	4	2
9	2	4	7	3	1	8	5	6
5	1	6	8	2	4	7	3	9
4	6	3	2	9	7	5	8	1
7	9	2	1	8	5	4	6	3
1	8	5	4	6	3	9	2	7

33.

4	6	5	9	2	1	7	8	3
8	3	2	7	6	5	9	4	1
1	7	9	3	8	4	5	2	6
9	2	1	6	4	3	8	5	7
3	5	7	2	1	8	4	6	9
6	4	8	5	7	9	3	1	2
5	9	6	4	3	2	1	7	8
7	8	4	1	9	6	2	3	5
2	1	3	8	5	7	6	9	4

34.

1	4	7	2	9	6	8	5	3
8	2	9	3	1	5	7	4	6
5	3	6	8	4	7	2	1	9
7	8	4	6	5	3	1	9	2
3	1	2	9	7	8	4	6	5
9	6	5	4	2	1	3	8	7
2	5	1	7	6	4	9	3	8
6	7	3	1	8	9	5	2	4
4	9	8	5	3	2	6	7	1

35.

4	6	2	1	3	8	7	5	9
7	5	3	4	6	9	8	1	2
8	9	1	7	2	5	3	6	4
5	1	8	9	7	6	2	4	3
9	3	4	5	1	2	6	8	7
2	7	6	3	8	4	1	9	5
3	4	7	6	9	1	5	2	8
1	8	5	2	4	7	9	3	6
6	2	9	8	5	3	4	7	1

36.

2	8	6	9	7	3	5	1	4
1	9	3	4	5	6	2	7	8
5	4	7	8	2	1	3	6	9
9	7	2	3	1	4	6	8	5
4	5	1	6	8	7	9	3	2
6	3	8	5	9	2	1	4	7
3	6	9	7	4	5	8	2	1
7	1	5	2	3	8	4	9	6
8	2	4	1	6	9	7	5	3

SOLUTIONS

37.

2	5	6	1	4	8	7	3	9
1	3	4	2	9	7	5	8	6
7	8	9	5	3	6	4	2	1
9	7	1	8	5	4	2	6	3
4	2	5	3	6	9	1	7	8
3	6	8	7	1	2	9	5	4
6	1	3	9	2	5	8	4	7
5	9	7	4	8	3	6	1	2
8	4	2	6	7	1	3	9	5

38.

7	6	8	4	1	9	5	2	3
3	2	5	8	6	7	9	4	1
4	9	1	5	3	2	7	6	8
2	7	3	9	5	1	6	8	4
6	8	9	2	4	3	1	7	5
1	5	4	7	8	6	2	3	9
9	4	6	3	2	5	8	1	7
5	3	2	1	7	8	4	9	6
8	1	7	6	9	4	3	5	2

39.

3	6	4	7	1	8	2	9	5
5	7	2	9	4	3	8	6	1
1	8	9	6	5	2	4	7	3
8	3	6	2	9	1	5	4	7
4	9	1	8	7	5	3	2	6
2	5	7	3	6	4	1	8	9
9	4	3	5	2	6	7	1	8
6	2	5	1	8	7	9	3	4
7	1	8	4	3	9	6	5	2

40.

5	9	3	1	6	4	2	8	7
6	8	2	5	7	9	3	1	4
4	1	7	2	8	3	9	6	5
7	2	6	4	9	5	1	3	8
9	5	4	3	1	8	7	2	6
1	3	8	6	2	7	5	4	9
2	4	1	7	5	6	8	9	3
3	7	9	8	4	2	6	5	1
8	6	5	9	3	1	4	7	2

41.

9	3	5	7	8	1	2	4	6
4	6	8	9	5	2	7	3	1
7	2	1	3	6	4	8	9	5
1	5	7	8	9	3	6	2	4
2	9	3	1	4	6	5	8	7
6	8	4	5	2	7	9	1	3
8	1	6	2	3	5	4	7	9
3	4	9	6	7	8	1	5	2
5	7	2	4	1	9	3	6	8

42.

7	1	2	5	8	4	6	3	9
9	4	6	1	7	3	5	8	2
5	3	8	2	6	9	7	1	4
1	2	7	8	4	6	3	9	5
8	9	4	3	5	1	2	7	6
3	6	5	7	9	2	8	4	1
2	7	9	4	3	5	1	6	8
4	5	3	6	1	8	9	2	7
6	8	1	9	2	7	4	5	3

43.

8	3	9	1	7	4	2	6	5
5	4	6	8	2	3	1	9	7
7	2	1	5	6	9	4	3	8
4	5	2	3	8	7	6	1	9
6	8	3	9	1	5	7	2	4
9	1	7	2	4	6	5	8	3
2	7	4	6	9	8	3	5	1
3	6	8	4	5	1	9	7	2
1	9	5	7	3	2	8	4	6

44.

9	4	8	1	7	6	2	3	5
1	6	5	2	4	3	8	9	7
3	2	7	8	5	9	6	4	1
6	1	2	7	9	8	3	5	4
8	7	4	5	3	2	1	6	9
5	3	9	6	1	4	7	8	2
4	5	6	3	2	7	9	1	8
2	9	3	4	8	1	5	7	6
7	8	1	9	6	5	4	2	3

45.

8	5	9	4	1	6	2	7	3
6	4	2	7	3	8	9	1	5
1	7	3	2	9	5	8	4	6
9	1	5	8	7	2	6	3	4
2	6	7	3	4	1	5	9	8
4	3	8	6	5	9	1	2	7
7	8	1	9	6	3	4	5	2
5	2	4	1	8	7	3	6	9
3	9	6	5	2	4	7	8	1

46.

9	8	1	6	3	2	4	5	7
7	2	6	4	9	5	8	1	3
5	4	3	1	7	8	6	2	9
2	7	5	3	6	9	1	4	8
1	6	8	5	4	7	3	9	2
3	9	4	2	8	1	7	6	5
8	1	2	7	5	4	9	3	6
4	3	9	8	2	6	5	7	1
6	5	7	9	1	3	2	8	4

47.

4	5	1	6	9	7	3	2	8
9	7	8	2	3	5	6	4	1
6	3	2	1	4	8	5	9	7
2	8	9	7	6	3	4	1	5
1	6	5	8	2	4	9	7	3
7	4	3	9	5	1	2	8	6
5	1	6	4	7	9	8	3	2
8	2	4	3	1	6	7	5	9
3	9	7	5	8	2	1	6	4

48.

9	1	5	7	2	3	8	6	4
6	3	2	4	8	5	1	7	9
4	7	8	9	1	6	3	2	5
8	5	9	1	6	2	4	3	7
2	4	3	8	7	9	6	5	1
1	6	7	3	5	4	9	8	2
3	2	1	6	9	7	5	4	8
5	9	4	2	3	8	7	1	6
7	8	6	5	4	1	2	9	3

SOLUTIONS

49.

6	2	7	3	4	5	9	1	8
8	1	9	6	2	7	3	5	4
3	4	5	9	8	1	7	2	6
7	8	2	1	5	3	6	4	9
1	9	3	2	6	4	5	8	7
4	5	6	7	9	8	2	3	1
9	7	4	5	1	2	8	6	3
5	3	8	4	7	6	1	9	2
2	6	1	8	3	9	4	7	5

50.

3	5	4	1	7	6	2	8	9
6	9	7	2	5	8	3	4	1
8	2	1	3	9	4	5	7	6
7	4	2	6	3	5	9	1	8
5	3	9	8	4	1	6	2	7
1	6	8	9	2	7	4	5	3
9	8	5	4	1	3	7	6	2
2	7	6	5	8	9	1	3	4
4	1	3	7	6	2	8	9	5

51.

9	5	8	7	1	6	2	4	3
2	4	6	3	5	8	9	7	1
3	7	1	9	4	2	8	6	5
8	6	5	4	7	1	3	2	9
4	3	2	5	8	9	7	1	6
1	9	7	2	6	3	4	5	8
5	1	9	8	2	4	6	3	7
7	8	4	6	3	5	1	9	2
6	2	3	1	9	7	5	8	4

52.

3	2	6	5	4	7	8	1	9
5	4	8	9	3	1	6	7	2
7	9	1	8	2	6	5	3	4
6	5	9	4	1	2	7	8	3
1	7	4	3	9	8	2	6	5
2	8	3	7	6	5	4	9	1
4	6	5	1	8	3	9	2	7
8	3	7	2	5	9	1	4	6
9	1	2	6	7	4	3	5	8

53.

4	3	7	8	5	9	1	6	2
9	8	5	2	1	6	4	3	7
2	1	6	7	4	3	9	8	5
3	4	2	9	6	5	7	1	8
7	9	1	3	2	8	5	4	6
5	6	8	1	7	4	2	9	3
1	5	4	6	8	2	3	7	9
6	7	3	5	9	1	8	2	4
8	2	9	4	3	7	6	5	1

54.

9	6	5	8	7	1	2	3	4
2	8	7	3	4	6	1	5	9
4	3	1	5	2	9	6	8	7
3	9	8	2	6	7	4	1	5
7	4	6	1	5	3	8	9	2
5	1	2	9	8	4	7	6	3
1	7	9	4	3	8	5	2	6
6	2	3	7	1	5	9	4	8
8	5	4	6	9	2	3	7	1

55.

7	6	8	9	3	2	5	4	1
4	5	2	6	1	7	3	8	9
1	9	3	4	5	8	2	7	6
2	4	5	1	9	3	8	6	7
3	1	7	2	8	6	4	9	5
9	8	6	5	7	4	1	3	2
5	3	4	7	2	9	6	1	8
8	7	1	3	6	5	9	2	4
6	2	9	8	4	1	7	5	3

56.

6	3	2	1	4	7	9	8	5
1	4	5	8	6	9	3	2	7
8	7	9	5	3	2	6	1	4
3	2	7	6	9	4	1	5	8
4	9	1	3	5	8	2	7	6
5	8	6	7	2	1	4	3	9
2	5	3	9	7	6	8	4	1
7	6	8	4	1	3	5	9	2
9	1	4	2	8	5	7	6	3

57.

4	7	5	8	3	9	2	6	1
3	1	2	5	4	6	9	8	7
8	6	9	1	2	7	5	4	3
6	4	8	9	1	2	3	7	5
7	9	1	3	5	4	8	2	6
5	2	3	7	6	8	1	9	4
9	5	4	2	7	3	6	1	8
1	8	7	6	9	5	4	3	2
2	3	6	4	8	1	7	5	9

58.

2	4	9	1	6	3	5	8	7
3	8	6	7	5	2	4	1	9
5	1	7	8	4	9	2	6	3
6	5	8	9	2	1	3	7	4
9	7	3	6	8	4	1	5	2
1	2	4	5	3	7	6	9	8
8	3	5	4	7	6	9	2	1
4	6	1	2	9	8	7	3	5
7	9	2	3	1	5	8	4	6

59.

3	7	2	1	8	4	9	6	5
5	4	1	9	7	6	2	8	3
8	6	9	5	3	2	4	7	1
2	9	7	3	1	8	5	4	6
6	5	8	4	9	7	1	3	2
1	3	4	6	2	5	7	9	8
9	1	5	7	6	3	8	2	4
4	8	3	2	5	9	6	1	7
7	2	6	8	4	1	3	5	9

60.

5	3	9	8	7	1	4	6	2
7	2	8	9	4	6	1	5	3
4	1	6	3	2	5	8	7	9
2	5	1	6	3	9	7	8	4
3	8	4	2	1	7	6	9	5
9	6	7	5	8	4	2	3	1
6	7	3	1	5	2	9	4	8
1	4	5	7	9	8	3	2	6
8	9	2	4	6	3	5	1	7

SOLUTIONS

61.

2	5	7	8	1	4	9	6	3
8	3	1	6	9	2	4	5	7
4	6	9	5	7	3	8	1	2
1	8	3	4	6	7	2	9	5
6	2	5	1	3	9	7	4	8
7	9	4	2	8	5	6	3	1
3	4	2	9	5	8	1	7	6
9	7	6	3	2	1	5	8	4
5	1	8	7	4	6	3	2	9

62.

2	9	3	6	7	1	5	8	4
5	7	6	2	4	8	9	1	3
1	8	4	9	5	3	6	2	7
7	6	9	3	2	4	8	5	1
3	4	5	8	1	9	7	6	2
8	2	1	5	6	7	4	3	9
9	1	2	4	8	6	3	7	5
6	3	7	1	9	5	2	4	8
4	5	8	7	3	2	1	9	6

63.

8	4	2	7	5	1	3	6	9
9	7	1	3	4	6	5	2	8
5	6	3	9	2	8	4	1	7
7	9	5	1	3	2	8	4	6
2	3	4	8	6	7	9	5	1
1	8	6	5	9	4	7	3	2
4	2	9	6	7	3	1	8	5
6	1	7	4	8	5	2	9	3
3	5	8	2	1	9	6	7	4

64.

8	3	2	4	1	9	5	7	6
4	7	1	8	6	5	2	3	9
9	6	5	2	3	7	4	8	1
3	8	9	5	7	4	1	6	2
2	4	6	3	8	1	7	9	5
1	5	7	9	2	6	8	4	3
5	1	8	7	9	3	6	2	4
6	2	3	1	4	8	9	5	7
7	9	4	6	5	2	3	1	8

65.

2	1	6	8	5	4	7	3	9
8	5	7	9	1	3	2	4	6
9	4	3	7	6	2	1	5	8
3	7	2	4	9	6	5	8	1
5	6	9	1	7	8	4	2	3
4	8	1	3	2	5	9	6	7
1	3	8	5	4	7	6	9	2
6	9	4	2	8	1	3	7	5
7	2	5	6	3	9	8	1	4

66.

2	1	5	8	3	4	9	6	7
9	8	3	6	5	7	1	2	4
6	4	7	9	1	2	5	8	3
1	5	6	4	9	8	3	7	2
8	7	9	3	2	6	4	5	1
3	2	4	5	7	1	8	9	6
7	6	8	1	4	9	2	3	5
4	3	2	7	8	5	6	1	9
5	9	1	2	6	3	7	4	8

67.

8	9	7	5	6	3	4	1	2
6	2	3	4	1	7	8	5	9
5	4	1	9	8	2	6	7	3
4	3	5	7	9	8	1	2	6
2	8	9	1	4	6	7	3	5
7	1	6	2	3	5	9	4	8
3	5	4	6	7	9	2	8	1
1	6	2	8	5	4	3	9	7
9	7	8	3	2	1	5	6	4

68.

8	9	3	2	7	4	6	5	1
1	2	7	3	6	5	8	9	4
6	5	4	1	9	8	2	7	3
2	8	1	7	3	9	5	4	6
3	4	5	6	8	1	7	2	9
9	7	6	5	4	2	1	3	8
7	6	8	4	2	3	9	1	5
5	3	9	8	1	7	4	6	2
4	1	2	9	5	6	3	8	7

69.

9	2	7	6	1	5	4	3	8
5	3	8	4	9	7	1	2	6
6	1	4	2	8	3	7	5	9
2	8	9	1	4	6	3	7	5
3	6	5	8	7	2	9	1	4
7	4	1	5	3	9	8	6	2
4	7	6	9	2	1	5	8	3
8	5	3	7	6	4	2	9	1
1	9	2	3	5	8	6	4	7

70.

4	6	8	9	7	2	3	5	1
9	1	5	3	6	8	4	2	7
7	2	3	4	1	5	9	8	6
1	4	7	6	2	9	5	3	8
2	3	6	5	8	1	7	9	4
8	5	9	7	3	4	1	6	2
6	8	4	1	9	3	2	7	5
3	7	1	2	5	6	8	4	9
5	9	2	8	4	7	6	1	3

71.

6	3	2	7	5	9	8	4	1
4	8	5	6	1	3	9	2	7
1	9	7	2	4	8	6	5	3
3	2	4	9	7	1	5	6	8
8	7	6	5	3	2	1	9	4
5	1	9	4	8	6	3	7	2
2	6	8	3	9	7	4	1	5
7	4	1	8	6	5	2	3	9
9	5	3	1	2	4	7	8	6

72.

9	1	7	5	6	2	3	8	4
2	6	3	4	7	8	1	5	9
8	4	5	9	3	1	2	6	7
4	7	9	3	8	6	5	2	1
6	2	1	7	9	5	4	3	8
5	3	8	2	1	4	7	9	6
3	9	2	6	4	7	8	1	5
1	5	4	8	2	9	6	7	3
7	8	6	1	5	3	9	4	2

SOLUTIONS

73.

2	4	3	1	7	5	8	9	6
7	1	9	4	6	8	3	5	2
8	5	6	2	9	3	7	1	4
9	3	2	5	4	7	1	6	8
1	6	7	9	8	2	5	4	3
5	8	4	3	1	6	9	2	7
4	7	1	6	3	9	2	8	5
3	9	5	8	2	4	6	7	1
6	2	8	7	5	1	4	3	9

74.

4	3	1	7	2	6	8	5	9
5	2	8	9	4	1	6	3	7
7	6	9	5	8	3	4	1	2
8	7	3	2	1	9	5	4	6
1	4	2	3	6	5	7	9	8
9	5	6	4	7	8	1	2	3
3	9	4	6	5	7	2	8	1
2	8	7	1	9	4	3	6	5
6	1	5	8	3	2	9	7	4

75.

2	3	8	5	6	1	7	9	4
6	4	7	2	3	9	5	1	8
5	9	1	8	4	7	3	2	6
3	1	6	7	9	4	2	8	5
8	5	4	1	2	3	6	7	9
9	7	2	6	5	8	4	3	1
4	6	3	9	1	2	8	5	7
1	8	5	3	7	6	9	4	2
7	2	9	4	8	5	1	6	3

76.

2	1	8	3	9	5	6	4	7
9	5	4	7	2	6	3	8	1
7	6	3	8	4	1	9	5	2
4	3	9	1	8	7	5	2	6
6	8	2	4	5	3	7	1	9
5	7	1	9	6	2	8	3	4
3	2	5	6	7	4	1	9	8
8	4	6	5	1	9	2	7	3
1	9	7	2	3	8	4	6	5

77.

4	8	1	5	3	9	7	6	2
3	2	9	6	8	7	5	4	1
7	5	6	1	2	4	9	8	3
1	3	8	7	9	5	4	2	6
2	7	5	4	6	8	3	1	9
9	6	4	3	1	2	8	5	7
6	1	7	8	4	3	2	9	5
5	4	2	9	7	6	1	3	8
8	9	3	2	5	1	6	7	4

78.

1	6	9	3	5	2	8	4	7
3	7	8	4	9	1	6	2	5
4	5	2	6	8	7	3	9	1
2	3	7	9	6	5	4	1	8
5	4	6	1	7	8	9	3	2
9	8	1	2	4	3	7	5	6
7	9	4	5	1	6	2	8	3
6	2	5	8	3	4	1	7	9
8	1	3	7	2	9	5	6	4

79.

1	5	7	8	2	3	9	6	4
4	8	3	7	6	9	2	1	5
6	2	9	5	1	4	7	3	8
5	3	1	9	4	2	6	8	7
2	7	4	3	8	6	5	9	1
8	9	6	1	7	5	3	4	2
9	4	8	2	3	7	1	5	6
3	6	2	4	5	1	8	7	9
7	1	5	6	9	8	4	2	3

80.

6	4	3	9	5	7	2	8	1
5	8	1	3	4	2	6	7	9
9	2	7	8	6	1	5	4	3
1	9	4	5	7	3	8	6	2
7	3	2	6	8	9	1	5	4
8	6	5	2	1	4	9	3	7
3	5	9	4	2	8	7	1	6
4	7	6	1	9	5	3	2	8
2	1	8	7	3	6	4	9	5

81.

6	4	3	7	2	5	1	9	8
9	5	2	8	6	1	3	4	7
8	7	1	9	3	4	6	5	2
7	1	6	2	5	9	8	3	4
3	2	8	4	1	7	5	6	9
4	9	5	3	8	6	2	7	1
1	3	4	6	7	2	9	8	5
5	8	9	1	4	3	7	2	6
2	6	7	5	9	8	4	1	3

82.

3	2	1	4	6	7	5	8	9
6	7	9	2	8	5	3	1	4
5	8	4	9	3	1	2	7	6
8	3	6	7	5	2	4	9	1
2	9	7	8	1	4	6	5	3
1	4	5	6	9	3	8	2	7
7	5	2	3	4	9	1	6	8
4	1	8	5	7	6	9	3	2
9	6	3	1	2	8	7	4	5

83.

1	7	2	8	5	9	3	4	6
8	6	3	4	2	7	5	9	1
9	4	5	1	3	6	8	7	2
4	3	9	5	6	2	1	8	7
5	1	8	7	4	3	2	6	9
6	2	7	9	1	8	4	5	3
2	5	6	3	7	4	9	1	8
3	9	4	6	8	1	7	2	5
7	8	1	2	9	5	6	3	4

84.

5	2	8	3	7	1	9	6	4
6	7	9	5	4	2	1	3	8
4	1	3	6	9	8	5	2	7
3	6	2	1	8	7	4	5	9
7	4	1	9	5	6	3	8	2
8	9	5	2	3	4	7	1	6
9	5	6	7	2	3	8	4	1
2	8	7	4	1	5	6	9	3
1	3	4	8	6	9	2	7	5

SOLUTIONS

85.

8	6	9	5	1	3	4	7	2
2	1	3	6	7	4	9	8	5
7	5	4	2	9	8	1	6	3
5	2	1	8	4	7	6	3	9
4	3	6	9	5	1	7	2	8
9	8	7	3	6	2	5	1	4
3	7	5	4	8	6	2	9	1
6	4	8	1	2	9	3	5	7
1	9	2	7	3	5	8	4	6

86.

9	4	3	6	7	1	8	5	2
5	2	6	3	9	8	1	7	4
1	7	8	4	5	2	3	9	6
6	3	2	8	1	7	9	4	5
4	8	5	9	6	3	2	1	7
7	9	1	5	2	4	6	3	8
3	5	7	1	8	6	4	2	9
8	1	9	2	4	5	7	6	3
2	6	4	7	3	9	5	8	1

87.

6	1	8	2	3	7	9	5	4
5	3	4	6	9	8	7	2	1
9	2	7	1	4	5	8	3	6
4	6	3	8	7	2	1	9	5
7	5	9	4	1	6	3	8	2
1	8	2	9	5	3	4	6	7
3	7	1	5	2	9	6	4	8
2	4	6	3	8	1	5	7	9
8	9	5	7	6	4	2	1	3

88.

5	2	6	1	3	9	8	4	7
1	9	7	4	6	8	5	3	2
8	4	3	7	2	5	6	1	9
7	5	9	2	8	3	4	6	1
3	1	2	6	5	4	9	7	8
4	6	8	9	7	1	2	5	3
9	8	5	3	4	7	1	2	6
6	3	1	5	9	2	7	8	4
2	7	4	8	1	6	3	9	5

89.

1	6	4	5	2	8	3	7	9
8	7	9	3	4	6	2	1	5
5	3	2	9	1	7	4	6	8
3	8	6	2	9	1	5	4	7
7	4	1	8	5	3	6	9	2
2	9	5	7	6	4	1	8	3
4	5	7	1	8	2	9	3	6
6	2	8	4	3	9	7	5	1
9	1	3	6	7	5	8	2	4

90.

2	3	9	7	1	5	8	6	4
6	5	7	4	8	3	1	2	9
8	1	4	9	2	6	3	7	5
1	2	8	5	4	7	6	9	3
9	6	5	2	3	1	4	8	7
7	4	3	6	9	8	2	5	1
4	8	2	3	5	9	7	1	6
3	9	6	1	7	2	5	4	8
5	7	1	8	6	4	9	3	2

91.

4	5	6	3	9	2	1	8	7
3	8	1	4	7	5	2	6	9
7	2	9	1	8	6	3	4	5
8	6	3	9	5	1	7	2	4
2	9	5	6	4	7	8	1	3
1	4	7	2	3	8	5	9	6
6	7	2	5	1	9	4	3	8
5	1	4	8	6	3	9	7	2
9	3	8	7	2	4	6	5	1

92.

7	3	2	9	5	6	1	8	4
1	5	6	8	3	4	2	7	9
8	9	4	1	2	7	6	3	5
5	7	1	2	4	8	3	9	6
2	4	3	6	1	9	8	5	7
6	8	9	3	7	5	4	1	2
4	1	5	7	6	3	9	2	8
9	2	7	4	8	1	5	6	3
3	6	8	5	9	2	7	4	1

93.

9	5	2	4	6	3	1	8	7
3	7	4	2	1	8	9	6	5
6	8	1	7	9	5	4	3	2
2	6	3	1	7	9	8	5	4
8	4	9	5	2	6	3	7	1
7	1	5	8	3	4	2	9	6
1	2	6	3	8	7	5	4	9
5	3	7	9	4	1	6	2	8
4	9	8	6	5	2	7	1	3

94.

2	5	8	3	4	7	6	9	1
6	1	4	9	5	8	2	7	3
7	3	9	2	6	1	4	8	5
5	9	3	6	8	2	7	1	4
4	8	2	7	1	5	9	3	6
1	7	6	4	9	3	8	5	2
9	2	1	5	7	6	3	4	8
8	6	7	1	3	4	5	2	9
3	4	5	8	2	9	1	6	7

95.

4	1	6	9	8	3	2	7	5
9	5	8	2	7	1	6	3	4
3	2	7	5	6	4	9	1	8
5	7	4	6	3	2	1	8	9
6	3	9	8	1	5	7	4	2
2	8	1	7	4	9	3	5	6
8	9	2	3	5	7	4	6	1
1	6	3	4	2	8	5	9	7
7	4	5	1	9	6	8	2	3

96.

5	7	9	6	8	3	1	4	2
1	3	4	7	9	2	8	5	6
2	8	6	5	1	4	3	7	9
7	9	5	4	6	8	2	1	3
4	1	2	9	3	7	5	6	8
8	6	3	2	5	1	4	9	7
3	5	7	1	2	9	6	8	4
6	4	8	3	7	5	9	2	1
9	2	1	8	4	6	7	3	5

SOLUTIONS

97.

3	2	4	8	7	1	9	6	5
8	7	9	5	2	6	1	4	3
1	5	6	9	3	4	2	7	8
9	6	7	3	1	5	8	2	4
2	8	5	6	4	9	3	1	7
4	1	3	2	8	7	5	9	6
5	9	2	4	6	8	7	3	1
7	4	8	1	9	3	6	5	2
6	3	1	7	5	2	4	8	9

98.

4	6	8	3	1	9	2	7	5
3	5	7	6	2	4	8	1	9
1	9	2	5	7	8	3	4	6
9	8	5	2	4	6	1	3	7
7	4	6	8	3	1	9	5	2
2	1	3	7	9	5	6	8	4
5	2	1	4	6	3	7	9	8
8	7	9	1	5	2	4	6	3
6	3	4	9	8	7	5	2	1

99.

2	3	9	5	7	1	4	6	8
1	8	4	6	9	3	7	2	5
7	5	6	8	4	2	9	3	1
5	4	1	9	2	8	6	7	3
3	2	7	1	6	5	8	4	9
9	6	8	7	3	4	1	5	2
8	7	5	2	1	6	3	9	4
6	1	3	4	5	9	2	8	7
4	9	2	3	8	7	5	1	6

100.

2	7	6	5	3	4	9	8	1
3	4	1	6	8	9	7	5	2
9	8	5	7	2	1	3	4	6
6	5	2	9	1	7	4	3	8
4	3	9	8	6	5	1	2	7
7	1	8	2	4	3	5	6	9
5	6	7	4	9	2	8	1	3
8	9	3	1	5	6	2	7	4
1	2	4	3	7	8	6	9	5

101.

1	9	8	7	5	6	4	3	2
3	2	6	1	9	4	8	5	7
5	4	7	3	2	8	1	6	9
2	6	9	5	1	7	3	8	4
7	1	3	4	8	9	5	2	6
4	8	5	6	3	2	7	9	1
9	3	2	8	4	1	6	7	5
6	5	4	9	7	3	2	1	8
8	7	1	2	6	5	9	4	3

102.

7	9	6	4	2	3	8	1	5
2	8	3	1	9	5	4	7	6
5	4	1	7	6	8	2	3	9
6	1	7	9	3	4	5	2	8
9	5	8	2	7	1	3	6	4
3	2	4	8	5	6	1	9	7
4	6	9	5	1	2	7	8	3
1	3	5	6	8	7	9	4	2
8	7	2	3	4	9	6	5	1

103.

7	5	8	4	1	2	3	6	9
6	9	3	7	8	5	4	1	2
2	1	4	9	3	6	7	8	5
4	6	7	2	5	9	8	3	1
9	8	5	1	4	3	2	7	6
3	2	1	6	7	8	5	9	4
5	7	9	3	6	4	1	2	8
1	4	2	8	9	7	6	5	3
8	3	6	5	2	1	9	4	7

104.

3	2	6	8	4	5	1	7	9
4	8	7	6	1	9	5	2	3
9	1	5	7	2	3	6	8	4
7	9	2	5	6	8	4	3	1
6	4	8	3	9	1	7	5	2
1	5	3	4	7	2	8	9	6
2	6	1	9	5	7	3	4	8
8	7	4	2	3	6	9	1	5
5	3	9	1	8	4	2	6	7

105.

6	9	8	7	2	5	3	1	4
1	3	7	6	4	9	5	8	2
4	5	2	8	3	1	6	7	9
9	8	4	3	5	6	7	2	1
7	6	5	9	1	2	4	3	8
3	2	1	4	7	8	9	6	5
5	1	9	2	6	3	8	4	7
8	4	3	1	9	7	2	5	6
2	7	6	5	8	4	1	9	3

106.

1	8	6	2	3	5	9	4	7
7	4	9	1	6	8	3	5	2
3	5	2	9	7	4	1	6	8
6	9	5	4	8	2	7	1	3
8	2	3	5	1	7	6	9	4
4	7	1	6	9	3	8	2	5
9	3	4	8	2	6	5	7	1
2	6	8	7	5	1	4	3	9
5	1	7	3	4	9	2	8	6

107.

5	8	1	7	3	4	2	6	9
7	9	4	2	8	6	3	5	1
6	3	2	5	9	1	8	4	7
9	1	8	4	6	5	7	3	2
2	5	3	9	1	7	6	8	4
4	6	7	8	2	3	9	1	5
3	2	9	1	5	8	4	7	6
8	7	5	6	4	2	1	9	3
1	4	6	3	7	9	5	2	8

108.

6	9	2	5	7	3	1	8	4
5	8	7	6	4	1	3	9	2
4	3	1	2	9	8	6	7	5
9	6	5	7	3	2	8	4	1
2	1	3	4	8	5	7	6	9
8	7	4	1	6	9	2	5	3
7	2	9	8	1	4	5	3	6
1	4	8	3	5	6	9	2	7
3	5	6	9	2	7	4	1	8

SOLUTIONS

109.

3	7	5	6	1	2	8	9	4
1	8	2	4	9	5	6	7	3
4	6	9	7	8	3	5	1	2
8	5	4	3	2	7	9	6	1
9	3	6	1	4	8	7	2	5
2	1	7	9	5	6	4	3	8
6	9	8	5	3	1	2	4	7
5	4	3	2	7	9	1	8	6
7	2	1	8	6	4	3	5	9

110.

5	7	1	8	6	9	2	4	3
3	6	4	7	2	1	8	9	5
2	8	9	3	5	4	1	7	6
6	9	5	4	7	2	3	8	1
4	1	8	6	3	5	7	2	9
7	2	3	9	1	8	6	5	4
1	4	7	2	9	6	5	3	8
9	5	2	1	8	3	4	6	7
8	3	6	5	4	7	9	1	2

111.

7	2	3	9	6	1	8	4	5
1	4	8	7	5	2	6	9	3
9	5	6	3	8	4	2	7	1
5	8	2	4	3	7	9	1	6
6	1	4	2	9	5	7	3	8
3	9	7	8	1	6	4	5	2
2	3	5	6	4	9	1	8	7
4	6	1	5	7	8	3	2	9
8	7	9	1	2	3	5	6	4

112.

6	7	2	9	4	8	5	3	1
8	1	9	5	6	3	2	4	7
4	3	5	2	1	7	9	6	8
9	4	7	8	2	5	6	1	3
3	2	6	4	7	1	8	9	5
5	8	1	6	3	9	7	2	4
1	9	8	3	5	6	4	7	2
7	6	4	1	8	2	3	5	9
2	5	3	7	9	4	1	8	6

113.

9	7	3	4	2	1	5	6	8
2	1	5	8	6	7	3	9	4
4	6	8	3	5	9	7	1	2
6	8	7	9	3	4	1	2	5
5	2	1	7	8	6	4	3	9
3	9	4	5	1	2	6	8	7
1	5	6	2	4	8	9	7	3
8	4	9	6	7	3	2	5	1
7	3	2	1	9	5	8	4	6

114.

7	8	6	1	5	9	2	3	4
9	3	1	4	2	6	7	5	8
4	2	5	3	8	7	1	6	9
3	7	8	5	9	4	6	1	2
2	5	9	6	3	1	4	8	7
6	1	4	8	7	2	5	9	3
8	4	2	9	6	5	3	7	1
5	9	7	2	1	3	8	4	6
1	6	3	7	4	8	9	2	5

115.

9	2	8	4	7	1	5	6	3
7	1	6	5	3	2	8	9	4
5	3	4	8	6	9	7	1	2
2	4	7	1	5	8	9	3	6
8	6	5	9	2	3	4	7	1
3	9	1	7	4	6	2	8	5
1	7	2	6	9	5	3	4	8
6	5	9	3	8	4	1	2	7
4	8	3	2	1	7	6	5	9

116.

1	8	2	4	3	5	7	9	6
4	9	7	6	2	8	1	3	5
6	3	5	7	9	1	8	2	4
5	4	1	3	8	6	9	7	2
7	6	3	9	5	2	4	1	8
8	2	9	1	4	7	6	5	3
2	7	4	8	1	3	5	6	9
9	5	6	2	7	4	3	8	1
3	1	8	5	6	9	2	4	7

117.

1	6	2	3	5	4	9	7	8
5	8	7	1	9	2	3	6	4
4	9	3	7	8	6	2	5	1
3	5	6	4	7	8	1	2	9
2	4	8	9	6	1	7	3	5
9	7	1	2	3	5	4	8	6
6	2	9	5	4	7	8	1	3
8	1	4	6	2	3	5	9	7
7	3	5	8	1	9	6	4	2

118.

3	5	4	1	7	6	2	8	9
6	9	7	2	5	8	3	4	1
8	2	1	3	9	4	5	7	6
7	4	2	6	3	5	9	1	8
5	3	9	8	4	1	6	2	7
1	6	8	9	2	7	4	5	3
9	8	5	4	1	3	7	6	2
2	7	6	5	8	9	1	3	4
4	1	3	7	6	2	8	9	5

119.

1	4	5	9	6	8	7	3	2
3	9	6	7	2	5	1	8	4
2	8	7	1	4	3	5	6	9
6	2	8	4	5	1	3	9	7
5	7	9	2	3	6	8	4	1
4	3	1	8	9	7	6	2	5
8	5	2	6	7	4	9	1	3
9	6	3	5	1	2	4	7	8
7	1	4	3	8	9	2	5	6

120.

6	5	8	7	4	2	3	9	1
4	7	9	1	8	3	2	5	6
3	1	2	5	9	6	4	8	7
2	3	4	8	7	9	6	1	5
7	6	5	4	3	1	9	2	8
9	8	1	2	6	5	7	4	3
5	9	7	3	1	4	8	6	2
8	2	6	9	5	7	1	3	4
1	4	3	6	2	8	5	7	9

SOLUTIONS

121.

5	9	7	2	4	6	8	3	1
8	1	4	7	5	3	2	6	9
2	3	6	8	1	9	5	4	7
1	2	5	6	8	7	4	9	3
6	4	9	5	3	2	7	1	8
7	8	3	1	9	4	6	5	2
3	5	1	4	2	8	9	7	6
9	6	2	3	7	5	1	8	4
4	7	8	9	6	1	3	2	5

122.

5	6	7	3	4	9	8	2	1
8	4	3	1	5	2	6	9	7
9	2	1	6	8	7	3	4	5
7	9	5	8	3	4	2	1	6
4	3	6	2	7	1	5	8	9
1	8	2	5	9	6	7	3	4
3	7	8	9	1	5	4	6	2
6	5	9	4	2	8	1	7	3
2	1	4	7	6	3	9	5	8

123.

5	4	7	3	6	1	8	9	2
9	3	6	2	7	8	5	4	1
1	8	2	4	5	9	6	7	3
6	9	1	5	3	4	7	2	8
4	2	3	9	8	7	1	5	6
7	5	8	1	2	6	9	3	4
3	6	5	7	1	2	4	8	9
8	7	9	6	4	3	2	1	5
2	1	4	8	9	5	3	6	7

124.

5	1	3	8	2	7	6	9	4
7	2	4	6	9	1	3	8	5
6	8	9	4	3	5	2	1	7
1	9	8	3	5	6	7	4	2
2	6	5	7	8	4	1	3	9
3	4	7	9	1	2	8	5	6
8	5	6	2	4	3	9	7	1
4	3	2	1	7	9	5	6	8
9	7	1	5	6	8	4	2	3

125.

4	8	7	6	1	5	2	9	3
2	9	5	7	4	3	1	6	8
1	6	3	9	2	8	7	4	5
3	5	2	1	9	4	8	7	6
7	1	9	2	8	6	5	3	4
8	4	6	3	5	7	9	2	1
6	3	1	8	7	2	4	5	9
5	7	8	4	3	9	6	1	2
9	2	4	5	6	1	3	8	7

126.

4	1	7	8	3	5	6	9	2
9	5	3	2	6	4	7	8	1
6	2	8	9	1	7	3	4	5
2	3	4	6	7	8	5	1	9
5	9	6	1	4	3	8	2	7
8	7	1	5	2	9	4	3	6
3	4	9	7	5	2	1	6	8
7	6	2	3	8	1	9	5	4
1	8	5	4	9	6	2	7	3

127.

5	3	2	8	4	1	7	9	6
4	6	7	5	2	9	3	8	1
1	9	8	3	7	6	5	2	4
8	2	6	7	5	3	1	4	9
3	4	9	1	6	2	8	7	5
7	5	1	9	8	4	6	3	2
2	8	4	6	1	7	9	5	3
9	1	5	4	3	8	2	6	7
6	7	3	2	9	5	4	1	8

128.

2	3	4	5	8	6	9	7	1
7	5	8	4	1	9	2	6	3
6	1	9	7	2	3	8	5	4
3	9	2	6	7	8	4	1	5
8	7	1	3	4	5	6	9	2
4	6	5	1	9	2	3	8	7
5	2	3	9	6	1	7	4	8
9	8	7	2	5	4	1	3	6
1	4	6	8	3	7	5	2	9

129.

2	4	3	1	7	5	8	9	6
7	1	9	4	6	8	3	5	2
8	5	6	2	9	3	7	1	4
9	3	2	5	4	7	1	6	8
1	6	7	9	8	2	5	4	3
5	8	4	3	1	6	9	2	7
4	7	1	6	3	9	2	8	5
3	9	5	8	2	4	6	7	1
6	2	8	7	5	1	4	3	9

130.

9	4	7	6	1	3	5	2	8
8	6	3	4	5	2	9	7	1
2	5	1	7	8	9	3	4	6
3	2	4	9	6	8	7	1	5
1	9	6	5	7	4	2	8	3
5	7	8	2	3	1	4	6	9
7	3	9	1	2	6	8	5	4
6	8	2	3	4	5	1	9	7
4	1	5	8	9	7	6	3	2

131.

5	4	2	6	8	1	9	7	3
9	6	7	3	4	5	2	8	1
8	1	3	9	2	7	6	5	4
2	9	1	7	3	8	5	4	6
6	3	5	2	1	4	7	9	8
7	8	4	5	9	6	3	1	2
3	2	8	4	5	9	1	6	7
4	5	6	1	7	3	8	2	9
1	7	9	8	6	2	4	3	5

132.

6	4	3	9	5	7	2	8	1
5	8	1	3	4	2	6	7	9
9	2	7	8	6	1	5	4	3
1	9	4	5	7	3	8	6	2
7	3	2	6	8	9	1	5	4
8	6	5	2	1	4	9	3	7
3	5	9	4	2	8	7	1	6
4	7	6	1	9	5	3	2	8
2	1	8	7	3	6	4	9	5

SOLUTIONS

133.

5	2	9	3	7	8	1	4	6
3	4	8	6	9	1	5	7	2
7	6	1	4	5	2	8	9	3
8	7	2	9	3	6	4	5	1
9	1	6	5	8	4	2	3	7
4	5	3	2	1	7	9	6	8
1	9	7	8	4	3	6	2	5
2	8	4	7	6	5	3	1	9
6	3	5	1	2	9	7	8	4

134.

3	6	1	4	9	7	8	5	2
7	2	8	5	3	1	4	6	9
9	5	4	8	2	6	3	1	7
5	9	7	6	8	4	2	3	1
2	4	3	7	1	9	6	8	5
1	8	6	2	5	3	7	9	4
6	1	9	3	4	2	5	7	8
4	3	5	9	7	8	1	2	6
8	7	2	1	6	5	9	4	3

135.

7	5	4	2	6	9	3	8	1
3	8	6	5	1	4	7	9	2
2	9	1	7	8	3	6	4	5
8	2	9	3	7	1	4	5	6
5	1	7	6	4	8	2	3	9
6	4	3	9	2	5	8	1	7
1	3	2	4	5	6	9	7	8
4	6	5	8	9	7	1	2	3
9	7	8	1	3	2	5	6	4

136.

7	8	5	4	9	6	1	2	3
6	3	4	2	1	5	9	8	7
1	9	2	7	8	3	5	6	4
2	4	7	1	3	9	6	5	8
3	5	9	8	6	2	7	4	1
8	1	6	5	7	4	3	9	2
5	7	8	6	2	1	4	3	9
9	6	1	3	4	8	2	7	5
4	2	3	9	5	7	8	1	6

137.

8	2	7	4	6	5	1	3	9
9	4	6	3	1	8	7	2	5
5	1	3	9	2	7	4	8	6
3	5	2	1	4	9	6	7	8
1	7	9	5	8	6	2	4	3
6	8	4	7	3	2	5	9	1
4	9	8	2	5	1	3	6	7
2	6	5	8	7	3	9	1	4
7	3	1	6	9	4	8	5	2

138.

5	9	7	2	4	6	8	3	1
8	1	4	7	5	3	2	6	9
2	3	6	8	1	9	5	4	7
1	2	5	6	8	7	4	9	3
6	4	9	5	3	2	7	1	8
7	8	3	1	9	4	6	5	2
3	5	1	4	2	8	9	7	6
9	6	2	3	7	5	1	8	4
4	7	8	9	6	1	3	2	5

139.

1	2	8	9	7	4	6	5	3
4	6	5	2	3	8	9	7	1
7	3	9	5	1	6	8	2	4
5	9	4	7	6	2	3	1	8
3	1	2	4	8	9	7	6	5
8	7	6	3	5	1	4	9	2
9	8	1	6	2	3	5	4	7
6	5	3	1	4	7	2	8	9
2	4	7	8	9	5	1	3	6

140.

9	4	5	3	1	2	8	6	7
2	8	3	6	7	5	9	4	1
6	7	1	8	9	4	5	2	3
3	9	2	5	8	1	6	7	4
8	1	4	2	6	7	3	5	9
7	5	6	9	4	3	2	1	8
5	6	7	1	3	9	4	8	2
1	3	8	4	2	6	7	9	5
4	2	9	7	5	8	1	3	6

141.

3	1	7	2	4	8	9	5	6
4	6	2	9	3	5	1	8	7
5	9	8	1	6	7	4	2	3
2	5	9	7	1	6	8	3	4
7	8	4	3	5	9	2	6	1
1	3	6	4	8	2	7	9	5
6	7	5	8	2	1	3	4	9
9	2	3	6	7	4	5	1	8
8	4	1	5	9	3	6	7	2

142.

3	7	5	9	4	1	2	6	8
1	2	6	8	5	3	7	4	9
9	4	8	2	7	6	5	3	1
4	5	2	6	8	9	1	7	3
6	8	1	5	3	7	4	9	2
7	9	3	4	1	2	6	8	5
5	3	9	7	2	4	8	1	6
2	1	7	3	6	8	9	5	4
8	6	4	1	9	5	3	2	7

143.

5	9	8	6	1	2	3	4	7
2	1	7	9	3	4	8	6	5
6	4	3	5	8	7	1	2	9
1	6	5	4	9	8	2	7	3
3	2	9	7	6	5	4	1	8
7	8	4	3	2	1	5	9	6
8	3	1	2	7	6	9	5	4
4	7	2	8	5	9	6	3	1
9	5	6	1	4	3	7	8	2

144.

6	2	1	9	8	3	5	4	7
4	7	9	6	2	5	8	3	1
3	5	8	1	4	7	9	2	6
8	9	4	7	1	6	3	5	2
7	1	5	8	3	2	4	6	9
2	6	3	4	5	9	1	7	8
5	8	6	2	9	4	7	1	3
1	4	7	3	6	8	2	9	5
9	3	2	5	7	1	6	8	4

SOLUTIONS

145.

8	1	2	7	5	6	9	4	3
6	3	4	9	8	2	7	1	5
9	5	7	3	4	1	6	2	8
3	4	5	1	7	9	8	6	2
2	8	9	6	3	4	5	7	1
7	6	1	5	2	8	4	3	9
5	2	6	4	9	3	1	8	7
4	9	3	8	1	7	2	5	6
1	7	8	2	6	5	3	9	4

146.

6	5	1	9	7	4	3	8	2
4	9	8	3	1	2	6	5	7
3	7	2	5	8	6	9	4	1
1	3	5	7	2	9	8	6	4
8	4	6	1	3	5	7	2	9
7	2	9	6	4	8	5	1	3
9	8	4	2	5	3	1	7	6
5	6	7	4	9	1	2	3	8
2	1	3	8	6	7	4	9	5

147.

4	7	3	2	8	1	9	6	5
9	5	8	6	3	7	1	2	4
6	2	1	4	9	5	3	8	7
5	9	4	3	1	8	6	7	2
3	6	7	9	2	4	8	5	1
8	1	2	5	7	6	4	3	9
1	4	5	7	6	3	2	9	8
7	3	9	8	4	2	5	1	6
2	8	6	1	5	9	7	4	3

148.

8	1	3	4	7	5	2	6	9
4	7	9	2	1	6	5	8	3
2	5	6	9	3	8	1	4	7
9	2	4	5	6	3	7	1	8
1	3	5	8	4	7	9	2	6
7	6	8	1	9	2	3	5	4
5	9	2	7	8	4	6	3	1
3	4	1	6	2	9	8	7	5
6	8	7	3	5	1	4	9	2

149.

3	1	5	6	2	7	8	4	9
6	7	4	8	5	9	1	2	3
8	2	9	4	3	1	6	7	5
2	4	8	5	9	3	7	1	6
5	3	6	1	7	8	2	9	4
7	9	1	2	4	6	5	3	8
1	5	2	9	6	4	3	8	7
4	8	3	7	1	5	9	6	2
9	6	7	3	8	2	4	5	1

150.

4	8	6	1	2	7	3	5	9
5	7	1	3	9	8	6	2	4
2	3	9	4	5	6	7	8	1
3	4	7	5	6	1	8	9	2
6	1	2	9	8	3	4	7	5
8	9	5	2	7	4	1	3	6
1	2	8	7	4	9	5	6	3
9	6	4	8	3	5	2	1	7
7	5	3	6	1	2	9	4	8

151.

3	6	4	7	1	9	2	5	8
9	7	5	8	2	3	1	4	6
1	2	8	4	6	5	9	7	3
5	9	2	1	8	4	3	6	7
4	8	1	6	3	7	5	2	9
7	3	6	9	5	2	8	1	4
8	5	7	3	4	1	6	9	2
2	4	3	5	9	6	7	8	1
6	1	9	2	7	8	4	3	5

152.

8	6	9	4	3	5	1	7	2
3	5	1	7	9	2	4	6	8
2	7	4	1	8	6	5	9	3
1	9	5	3	6	8	2	4	7
7	3	6	2	4	1	8	5	9
4	8	2	9	5	7	6	3	1
9	4	8	6	1	3	7	2	5
6	1	7	5	2	9	3	8	4
5	2	3	8	7	4	9	1	6

153.

1	6	2	4	8	3	5	9	7
8	9	7	5	2	6	3	4	1
5	4	3	7	1	9	2	8	6
9	5	4	6	3	1	7	2	8
2	7	8	9	4	5	6	1	3
3	1	6	2	7	8	9	5	4
7	3	9	1	5	4	8	6	2
6	8	1	3	9	2	4	7	5
4	2	5	8	6	7	1	3	9

154.

6	3	7	5	8	2	4	9	1
4	8	2	9	1	3	7	5	6
5	9	1	6	7	4	2	3	8
1	2	3	4	6	9	5	8	7
9	6	8	1	5	7	3	2	4
7	4	5	3	2	8	6	1	9
2	7	9	8	3	6	1	4	5
3	1	4	7	9	5	8	6	2
8	5	6	2	4	1	9	7	3

155.

4	6	7	3	1	8	2	5	9
2	5	8	4	9	6	3	7	1
3	1	9	7	2	5	4	6	8
1	7	4	8	3	9	6	2	5
9	2	5	6	4	7	8	1	3
6	8	3	2	5	1	9	4	7
7	9	6	5	8	4	1	3	2
5	3	1	9	6	2	7	8	4
8	4	2	1	7	3	5	9	6

156.

3	4	6	5	7	9	2	8	1
9	8	5	2	6	1	7	4	3
2	1	7	8	3	4	6	9	5
5	6	2	9	1	3	8	7	4
7	3	8	6	4	5	9	1	2
4	9	1	7	2	8	3	5	6
8	5	3	4	9	6	1	2	7
6	7	9	1	5	2	4	3	8
1	2	4	3	8	7	5	6	9

SOLUTIONS

157.

3	6	1	7	4	2	8	9	5
4	5	7	1	8	9	2	6	3
8	2	9	6	5	3	7	4	1
2	1	3	5	6	8	4	7	9
7	8	4	9	3	1	6	5	2
5	9	6	4	2	7	3	1	8
9	3	5	2	7	4	1	8	6
6	4	8	3	1	5	9	2	7
1	7	2	8	9	6	5	3	4

158.

5	1	8	6	2	7	9	3	4
2	4	3	9	5	1	7	8	6
6	7	9	4	8	3	2	5	1
4	6	2	1	9	8	5	7	3
3	5	7	2	6	4	8	1	9
9	8	1	3	7	5	4	6	2
7	9	6	8	1	2	3	4	5
8	2	4	5	3	6	1	9	7
1	3	5	7	4	9	6	2	8

159.

5	2	3	1	6	9	7	8	4
9	4	7	2	3	8	1	5	6
1	8	6	4	5	7	2	9	3
8	5	9	6	1	4	3	2	7
2	3	1	7	8	5	4	6	9
7	6	4	9	2	3	5	1	8
3	1	2	8	4	6	9	7	5
6	9	5	3	7	2	8	4	1
4	7	8	5	9	1	6	3	2

160.

5	9	6	1	7	8	3	4	2
1	8	3	2	9	4	5	6	7
2	4	7	6	5	3	1	8	9
9	1	5	4	2	6	8	7	3
7	6	8	9	3	1	4	2	5
4	3	2	7	8	5	6	9	1
8	2	1	3	4	7	9	5	6
3	7	4	5	6	9	2	1	8
6	5	9	8	1	2	7	3	4

161.

5	4	2	1	8	9	3	6	7
3	9	1	6	7	2	4	8	5
6	7	8	4	3	5	9	2	1
4	2	7	3	5	1	6	9	8
1	3	6	9	2	8	7	5	4
9	8	5	7	6	4	1	3	2
8	6	4	2	9	7	5	1	3
7	5	3	8	1	6	2	4	9
2	1	9	5	4	3	8	7	6

162.

7	4	1	2	3	6	5	9	8
5	8	6	9	4	1	3	2	7
3	9	2	5	7	8	6	4	1
4	2	5	3	1	7	9	8	6
8	3	7	6	9	2	1	5	4
1	6	9	8	5	4	2	7	3
6	5	4	1	8	9	7	3	2
2	7	3	4	6	5	8	1	9
9	1	8	7	2	3	4	6	5

163.

2	5	6	8	7	9	1	3	4
9	8	3	5	4	1	7	2	6
4	7	1	6	3	2	9	8	5
1	2	8	4	9	6	3	5	7
7	6	5	3	1	8	2	4	9
3	9	4	7	2	5	6	1	8
8	1	2	9	6	4	5	7	3
6	4	7	2	5	3	8	9	1
5	3	9	1	8	7	4	6	2

164.

2	8	1	9	7	4	5	6	3
9	5	7	1	6	3	2	8	4
6	3	4	8	2	5	1	7	9
1	7	3	6	8	2	9	4	5
5	2	8	4	1	9	6	3	7
4	6	9	3	5	7	8	2	1
3	4	6	5	9	8	7	1	2
8	9	2	7	3	1	4	5	6
7	1	5	2	4	6	3	9	8

165.

8	4	5	7	6	2	3	9	1
3	7	2	5	9	1	4	8	6
6	9	1	4	3	8	2	7	5
5	8	7	6	1	3	9	2	4
4	6	3	2	5	9	7	1	8
1	2	9	8	4	7	6	5	3
9	3	8	1	7	4	5	6	2
7	1	6	3	2	5	8	4	9
2	5	4	9	8	6	1	3	7

166.

3	9	5	1	6	4	7	8	2
2	6	7	8	9	5	1	3	4
1	8	4	7	2	3	5	9	6
5	4	2	3	8	9	6	1	7
9	1	3	6	7	2	8	4	5
6	7	8	5	4	1	3	2	9
4	3	6	9	5	8	2	7	1
8	5	9	2	1	7	4	6	3
7	2	1	4	3	6	9	5	8

167.

5	8	3	2	4	7	6	1	9
9	6	7	8	5	1	4	2	3
2	1	4	9	6	3	7	8	5
8	3	5	1	9	4	2	7	6
1	2	9	3	7	6	8	5	4
7	4	6	5	2	8	9	3	1
4	7	2	6	3	5	1	9	8
3	9	8	4	1	2	5	6	7
6	5	1	7	8	9	3	4	2

168.

2	4	7	1	5	9	6	8	3
5	3	6	2	8	4	7	1	9
8	1	9	3	6	7	4	2	5
3	8	4	5	7	1	9	6	2
9	6	1	4	3	2	5	7	8
7	2	5	8	9	6	3	4	1
6	5	3	7	2	8	1	9	4
4	9	8	6	1	5	2	3	7
1	7	2	9	4	3	8	5	6

SOLUTIONS

169.

9	3	5	6	1	7	4	8	2
7	1	2	9	4	8	5	6	3
4	6	8	2	5	3	7	9	1
3	8	9	7	2	4	6	1	5
2	5	4	1	3	6	8	7	9
1	7	6	5	8	9	2	3	4
6	4	3	8	9	2	1	5	7
5	9	7	4	6	1	3	2	8
8	2	1	3	7	5	9	4	6

170.

4	5	7	2	3	9	1	8	6
9	6	1	8	7	4	3	2	5
2	3	8	6	5	1	9	7	4
3	7	6	9	2	5	4	1	8
5	8	9	1	4	3	7	6	2
1	4	2	7	6	8	5	9	3
6	2	4	3	1	7	8	5	9
7	9	5	4	8	6	2	3	1
8	1	3	5	9	2	6	4	7

171.

3	8	5	4	1	9	6	7	2
7	6	1	3	8	2	9	5	4
9	2	4	5	6	7	8	1	3
8	5	9	2	4	1	3	6	7
4	1	7	9	3	6	2	8	5
6	3	2	7	5	8	1	4	9
1	7	3	8	2	5	4	9	6
5	4	8	6	9	3	7	2	1
2	9	6	1	7	4	5	3	8

172.

7	4	1	6	8	3	9	5	2
6	5	8	2	9	4	3	1	7
2	3	9	7	5	1	8	6	4
4	1	6	9	3	5	7	2	8
5	2	3	8	4	7	1	9	6
8	9	7	1	6	2	4	3	5
1	6	2	3	7	8	5	4	9
3	8	5	4	2	9	6	7	1
9	7	4	5	1	6	2	8	3

173.

3	5	8	2	1	7	4	9	6
1	6	9	3	8	4	7	2	5
7	4	2	9	5	6	1	8	3
9	8	7	4	3	2	6	5	1
5	1	4	8	6	9	2	3	7
6	2	3	1	7	5	8	4	9
4	3	6	5	2	1	9	7	8
2	7	5	6	9	8	3	1	4
8	9	1	7	4	3	5	6	2

174.

8	4	7	3	6	1	2	9	5
9	6	5	4	2	8	3	7	1
3	2	1	5	7	9	4	8	6
4	1	6	7	9	3	8	5	2
5	9	8	6	4	2	1	3	7
2	7	3	1	8	5	9	6	4
6	8	4	9	1	7	5	2	3
7	5	2	8	3	4	6	1	9
1	3	9	2	5	6	7	4	8

175.

2	1	7	4	8	9	3	6	5
5	9	3	2	7	6	1	4	8
8	6	4	1	5	3	2	9	7
9	7	8	5	2	4	6	1	3
1	4	5	3	6	8	9	7	2
6	3	2	9	1	7	5	8	4
7	2	1	8	9	5	4	3	6
4	8	9	6	3	2	7	5	1
3	5	6	7	4	1	8	2	9

176.

3	1	4	5	9	8	2	7	6
6	2	8	1	7	3	9	4	5
9	7	5	4	6	2	8	1	3
7	8	6	3	4	5	1	9	2
1	3	9	2	8	7	5	6	4
4	5	2	9	1	6	3	8	7
2	6	7	8	5	1	4	3	9
5	4	1	6	3	9	7	2	8
8	9	3	7	2	4	6	5	1

177.

8	5	2	9	4	3	1	7	6
3	7	1	2	6	8	9	5	4
6	4	9	7	5	1	3	8	2
9	2	6	1	8	5	7	4	3
5	1	4	6	3	7	8	2	9
7	3	8	4	2	9	5	6	1
4	8	7	3	9	6	2	1	5
2	9	5	8	1	4	6	3	7
1	6	3	5	7	2	4	9	8

178.

4	2	8	6	7	1	3	9	5
6	5	1	9	4	3	8	2	7
9	7	3	2	8	5	1	4	6
3	1	9	8	6	2	7	5	4
7	4	2	1	5	9	6	8	3
8	6	5	7	3	4	9	1	2
1	3	7	4	2	8	5	6	9
2	8	6	5	9	7	4	3	1
5	9	4	3	1	6	2	7	8

179.

1	5	3	7	2	6	4	8	9
6	4	2	1	9	8	3	5	7
9	8	7	5	3	4	1	6	2
8	9	4	3	6	7	2	1	5
7	3	5	2	8	1	6	9	4
2	6	1	4	5	9	8	7	3
4	7	9	8	1	3	5	2	6
5	1	6	9	4	2	7	3	8
3	2	8	6	7	5	9	4	1

180.

8	5	1	7	2	9	6	4	3
3	9	7	5	6	4	2	8	1
4	2	6	8	3	1	5	7	9
5	6	9	2	4	7	3	1	8
1	3	2	9	5	8	7	6	4
7	4	8	6	1	3	9	5	2
9	8	5	4	7	2	1	3	6
2	7	3	1	8	6	4	9	5
6	1	4	3	9	5	8	2	7

SOLUTIONS

181.

7	2	6	4	1	3	9	8	5
4	8	9	2	6	5	1	3	7
5	3	1	8	7	9	2	6	4
9	5	2	1	4	8	3	7	6
3	6	7	5	9	2	4	1	8
8	1	4	7	3	6	5	9	2
6	4	5	9	8	1	7	2	3
2	9	8	3	5	7	6	4	1
1	7	3	6	2	4	8	5	9

182.

3	9	6	4	2	1	7	5	8
8	2	1	6	7	5	3	4	9
5	4	7	9	8	3	6	1	2
7	3	5	2	1	9	4	8	6
9	1	8	7	4	6	5	2	3
4	6	2	5	3	8	1	9	7
6	8	4	1	9	7	2	3	5
1	7	9	3	5	2	8	6	4
2	5	3	8	6	4	9	7	1

183.

1	4	6	8	3	9	2	7	5
3	7	5	4	2	6	9	8	1
8	2	9	1	7	5	4	3	6
9	6	2	5	4	8	3	1	7
4	8	3	9	1	7	5	6	2
5	1	7	3	6	2	8	9	4
2	5	1	7	9	3	6	4	8
6	9	4	2	8	1	7	5	3
7	3	8	6	5	4	1	2	9

184.

9	5	2	1	3	4	8	6	7
3	1	7	5	6	8	2	9	4
4	6	8	7	9	2	5	3	1
2	8	5	6	7	1	9	4	3
1	3	4	8	5	9	7	2	6
7	9	6	2	4	3	1	8	5
6	2	1	4	8	5	3	7	9
5	4	9	3	2	7	6	1	8
8	7	3	9	1	6	4	5	2

185.

8	6	9	4	3	5	1	7	2
3	5	1	7	9	2	4	6	8
2	7	4	1	8	6	5	9	3
1	9	5	3	6	8	2	4	7
7	3	6	2	4	1	8	5	9
4	8	2	9	5	7	6	3	1
9	4	8	6	1	3	7	2	5
6	1	7	5	2	9	3	8	4
5	2	3	8	7	4	9	1	6

186.

7	6	4	9	3	5	1	2	8
1	9	5	2	8	4	7	3	6
2	8	3	7	1	6	4	9	5
4	5	8	3	2	1	6	7	9
6	2	1	5	7	9	8	4	3
9	3	7	4	6	8	5	1	2
8	4	2	6	9	7	3	5	1
3	7	6	1	5	2	9	8	4
5	1	9	8	4	3	2	6	7

187.

5	8	4	7	1	6	2	3	9
2	7	9	3	8	5	4	6	1
3	6	1	9	4	2	5	8	7
6	9	8	2	5	7	1	4	3
1	2	3	4	6	9	8	7	5
7	4	5	1	3	8	9	2	6
9	1	2	8	7	3	6	5	4
8	3	6	5	9	4	7	1	2
4	5	7	6	2	1	3	9	8

188.

3	1	4	5	9	8	2	7	6
6	2	8	1	7	3	9	4	5
9	7	5	4	6	2	8	1	3
7	8	6	3	4	5	1	9	2
1	3	9	2	8	7	5	6	4
4	5	2	9	1	6	3	8	7
2	6	7	8	5	1	4	3	9
5	4	1	6	3	9	7	2	8
8	9	3	7	2	4	6	5	1

189.

3	2	4	1	6	9	7	8	5
7	5	1	3	2	8	4	9	6
6	8	9	7	4	5	2	3	1
9	4	2	8	5	7	6	1	3
5	3	7	6	1	4	8	2	9
1	6	8	9	3	2	5	7	4
4	9	6	2	8	3	1	5	7
8	7	5	4	9	1	3	6	2
2	1	3	5	7	6	9	4	8

190.

1	4	7	5	8	6	2	3	9
6	8	3	2	7	9	5	1	4
2	5	9	3	1	4	7	8	6
4	1	5	6	9	3	8	7	2
7	2	8	1	4	5	6	9	3
3	9	6	7	2	8	4	5	1
5	6	4	9	3	7	1	2	8
9	7	1	8	6	2	3	4	5
8	3	2	4	5	1	9	6	7

191.

8	5	4	2	6	1	9	3	7
2	3	7	5	4	9	6	1	8
9	1	6	3	7	8	4	5	2
4	7	5	8	9	2	1	6	3
1	8	9	4	3	6	7	2	5
6	2	3	7	1	5	8	9	4
7	4	1	9	2	3	5	8	6
5	6	2	1	8	7	3	4	9
3	9	8	6	5	4	2	7	1

192.

3	4	2	8	6	7	5	9	1
6	1	9	5	4	2	3	7	8
5	8	7	9	1	3	6	4	2
4	3	5	1	7	8	2	6	9
8	2	6	4	9	5	1	3	7
7	9	1	2	3	6	4	8	5
1	7	4	3	2	9	8	5	6
2	6	8	7	5	4	9	1	3
9	5	3	6	8	1	7	2	4

SOLUTIONS

193.

7	6	3	4	9	2	5	1	8
8	9	1	3	6	5	2	4	7
2	4	5	1	7	8	3	6	9
9	8	4	6	5	7	1	3	2
1	7	2	9	4	3	8	5	6
5	3	6	2	8	1	9	7	4
6	1	7	5	2	9	4	8	3
3	2	8	7	1	4	6	9	5
4	5	9	8	3	6	7	2	1

194.

8	4	6	2	7	5	3	9	1
1	2	7	9	3	4	5	6	8
5	9	3	1	6	8	2	4	7
6	8	9	5	4	2	7	1	3
7	5	1	6	9	3	8	2	4
4	3	2	8	1	7	6	5	9
2	7	4	3	5	9	1	8	6
3	6	5	4	8	1	9	7	2
9	1	8	7	2	6	4	3	5

195.

6	4	9	1	7	5	2	3	8
1	8	5	6	2	3	9	7	4
2	3	7	8	4	9	6	5	1
4	2	8	3	9	7	1	6	5
9	1	3	5	6	4	7	8	2
7	5	6	2	1	8	4	9	3
5	9	2	7	3	1	8	4	6
8	6	4	9	5	2	3	1	7
3	7	1	4	8	6	5	2	9

196.

4	6	8	5	2	7	3	1	9
9	7	3	6	1	8	5	2	4
2	5	1	9	4	3	8	7	6
7	3	4	8	9	2	6	5	1
6	8	9	7	5	1	2	4	3
1	2	5	4	3	6	7	9	8
3	4	6	2	7	9	1	8	5
5	1	7	3	8	4	9	6	2
8	9	2	1	6	5	4	3	7

197.

4	7	8	1	9	2	6	5	3
5	9	6	7	4	3	2	1	8
3	1	2	6	8	5	9	7	4
9	6	4	2	7	8	1	3	5
1	2	3	5	6	4	7	8	9
7	8	5	9	3	1	4	6	2
8	3	1	4	2	7	5	9	6
2	5	9	8	1	6	3	4	7
6	4	7	3	5	9	8	2	1

198.

4	2	5	1	8	3	6	9	7
7	3	1	2	6	9	8	5	4
8	6	9	4	7	5	2	3	1
6	7	8	3	5	4	1	2	9
5	1	3	9	2	8	4	7	6
9	4	2	7	1	6	5	8	3
2	5	4	6	3	7	9	1	8
1	9	7	8	4	2	3	6	5
3	8	6	5	9	1	7	4	2

199.

2	8	5	7	6	3	1	4	9
1	6	4	9	5	8	3	2	7
7	9	3	2	1	4	6	5	8
4	1	2	8	3	9	7	6	5
3	5	9	4	7	6	8	1	2
6	7	8	1	2	5	4	9	3
8	3	6	5	9	1	2	7	4
9	2	1	3	4	7	5	8	6
5	4	7	6	8	2	9	3	1

200.

1	7	9	5	3	6	4	8	2
3	5	8	2	4	7	9	6	1
6	4	2	8	1	9	5	3	7
5	1	7	3	9	2	6	4	8
4	8	6	7	5	1	3	2	9
9	2	3	4	6	8	7	1	5
7	3	4	1	8	5	2	9	6
8	9	5	6	2	3	1	7	4
2	6	1	9	7	4	8	5	3

Made in the USA
Middletown, DE
12 July 2023